Enzo Fortunato

FRANCESCO IL RIBELLE

Il linguaggio, i gesti e i luoghi di un uomo
che ha segnato il corso della storia

MONDADORI

Dello stesso autore
in edizione Mondadori
Vado da Francesco

🅼 librimondadori.it
anobii.com

Francesco il ribelle
di Enzo Fortunato

ISBN 978-88-04-68756-6

© 2018 Mondadori Libri S.p.A., Milano
I edizione febbraio 2018
Anno 2018 - Ristampa 1 2 3 4 5 6 7

Indice

Un «ribelle obbediente»

Francesco d'Assisi è stato un uomo che ha segnato la storia. E la storia continua a interessarsi a lui. Non c'è anno che non appaia almeno una nuova biografia del Povero di Assisi. Nel 2010 abbiamo salutato il grande lavoro di André Vauchez, nel 2013 quello di Grado Giovanni Merlo, nel 2015 il volume di Alfonso Marini, nel 2016 quello di Chiara Mercuri e la traduzione italiana del volume di Augustine Thompson. E oggi abbiamo tra le mani una nuova lettura della storia di Francesco scritta da un francescano conventuale del Sacro Convento di Assisi, Enzo Fortunato, che ha fatto della comunicazione culturale un punto di forza della sua missione, intitolando il volume *Francesco il ribelle.*

Una nuova biografia di Francesco, dunque. La cosa appare del tutto straordinaria in particolare se si considera che Francesco non era un personaggio di potere, non aveva una cultura accademica e non ha partecipato (se non in un senso del tutto particolare) a imprese militari. Era un «semplice». Questa sua condizione lo faceva guardare con sufficienza da parte di coloro che invece si sentivano grandi o colti. È noto il racconto nel quale il cardinale Ugolino di Ostia, che lo aveva invitato a pranzo, si scandalizzò del comportamento di Francesco che era andato per elemosina e aveva portato a tavola e distribuito le elemosine a tutti i commensali. La *Compilazione di Assisi* dice che «Dopo il pranzo, il prelato si alzò ed entrò nella sua camera conducendo con sé Francesco. E levando le braccia, strinse a sé il Santo in uno slancio di gioia esultante, dicendogli però: "Ma perché, fratello mio *semplicione*, mi hai fatto l'affronto di uscire per la questua mentre stai in casa mia, che è casa dei tuoi frati?". Rispose Francesco: "Al contrario, signore: io vi ho reso un grande onore. Invero, quando un suddito esercita la sua professione e compie l'obbedienza dovuta al suo signore, egli onora il signore e insieme il rappresentante di lui"». Il testo latino usa proprio la parola «simplizone», che, essendo in volgare, deve essere uscita proprio dalla bocca del cardinale, il quale evidentemente giudicava il comportamento di Francesco come quello di un «semplicione».

Eppure quest'uomo semplice, come scrive l'autore, ha segnato la storia. Anzi ha fatto della sua semplicità una straordinaria arma contro i benpensanti di ogni orientamento. Perché la semplicità di Francesco non è altro che la semplicità evangelica. È Gesù che aveva detto: «Ti benedico, o Padre, Signore del cielo e della terra, perché hai tenuto nascoste queste cose ai sapienti e agli intelligenti e le hai rivelate ai piccoli». Il piccolo Francesco ha cambiato il mondo partendo dai piccoli, dai poveri, dagli scartati. Basta pensare alla pagina, straordinaria, del consiglio da lui dato ai frati di Montecasale, che non sapevano come comportarsi con alcuni briganti che abitavano le selve vicine al convento. Consigliò loro di avvicinarsi a quei briganti offrendo «del buon pane e del buon vino» e chiedendo loro in cambio «di non percuotere nessuno e di non fare del male ad alcuno nella persona. Poiché, se domandate tutte le cose in una sola volta, non vi daranno ascolto; invece, vinti dall'umiltà e carità che dimostrerete loro, ve lo prometteranno». E il racconto continua: «E i briganti, per la misericordia di Dio e la sua grazia, discesa su di loro, ascoltarono ed eseguirono alla lettera, punto per punto, tutte le richieste che i frati avevano fatto loro. Anzi, per la familiarità e la carità dimostrata loro dai frati, cominciarono a portare sulle loro spalle la legna fino al romitorio. E così, per la misericordia di Dio e per la circostanza favorevole di quella carità e familiarità che i frati dimostrarono verso di loro, alcuni entrarono nella Religione, gli altri fecero penitenza promettendo nelle mani dei frati di non commettere mai più, da allora in poi, quei misfatti, ma di voler vivere con il lavoro delle proprie mani».[1] Anche i briganti sono per Francesco fratelli, perché anche il nemico è un uomo e il bene può vincere il male, cambiando il cuore anche dei violenti.

Ma perché scrivere un altro profilo biografico di Francesco d'Assisi? Non bastavano le tante biografie, alcune delle quali eccellenti, uscite negli ultimi anni? La risposta è che questo lavoro di Enzo Fortunato ha una sua caratterizzazione specifica. Si potrebbe dire che si tratta di una lettura ecclesiale del santo di Assisi. Perché non c'è dubbio sul fatto che Francesco sia anzitutto un uomo di Chiesa, fedele al papa, e che la Chiesa cattolica si misuri costantemente con l'eredità evangelica del santo di Assisi. Basti pensare ai papi degli ultimi anni. Giovanni Paolo II ha voluto celebrare proprio ad Assisi la Giornata mondiale di preghiera per la pace con i rappresentanti di tutte le religioni del mondo il 27 ottobre 1986. Benedetto XVI, fine conoscitore della teologia della scuola francescana, si è recato ad Assisi più volte e ha compiuto un memorabile pellegrinaggio a La Verna.[2] E, infine, papa Francesco, ha raccontato con semplicità la scelta del suo nome dicendo: «Come vorrei una Chiesa povera e per i poveri! Per questo mi chiamo Francesco, come Francesco da Assisi».

---

[1] *Compilazione di Assisi*, FF 1669.
[2] La visita pastorale di papa Benedetto XVI a La Verna fu annullata all'ultimo momento a causa del maltempo. Il Santo Padre inviò comunque il memorabile discorso che era stato preparato per l'occasione.

Padre Enzo Fortunato, con questa opera, ha voluto mostrarci tutta l'attualità del pensiero e dell'azione di Francesco, mentre la Chiesa cerca ogni giorno di compiere quel cammino in «uscita» chiestole da papa Francesco. Padre Fortunato ha capito che bisognava in qualche modo spiegare il «segreto» di Francesco, cioè la ragione per la quale un uomo semplice, vissuto otto secoli fa, è la migliore incarnazione del cristianesimo come si va configurando in questo inizio di terzo millennio.

Un ribelle, certo, ma un ribelle obbediente. Un uomo obbediente, certo, ma un obbediente sempre libero. Questo libro ripercorre le parole, i luoghi e gli incontri di un uomo allo stesso tempo libero e obbediente. Così facendo non solo si descrive il percorso personale di un uomo, ma si delinea una cultura ispirata al Vangelo, in grado di dialogare con tutti.

Padre Fortunato sa bene che Assisi è un santuario speciale, perché normalmente nei santuari si va a chiedere una grazia, un miracolo. Ad Assisi no, ad Assisi ci si va per incontrare Francesco. Camminando per le strade della città, che ha conservato la sua atmosfera medievale, i pellegrini sperano di incontrarlo in carne e ossa, per rivederlo, per parlarci o semplicemente per stare con lui. Si va ad Assisi per incontrare un uomo che ha vissuto il Vangelo. Direi che ci si va per incontrare il Vangelo stesso, *sine glossa*. Perché Francesco ancora oggi attira tanta gente? Perché la sua umanità è quella di un uomo mite. Si realizza in Francesco la beatitudine evangelica: «Beati i miti perché erediteranno la terra». I miti non conquistano la terra, non se ne impossessano con la violenza o la forza, essi semplicemente la ricevono come un'eredità, come un dono. Perché i miti hanno una straordinaria forza di attrazione. Chi incontra un uomo mite vorrebbe stare sempre con lui. Così Francesco, ancora dopo otto secoli, con la sua semplicità e la sua mitezza, attrae milioni di persone che ogni anno si recano nella sua città.

Come non leggere in controluce, nelle pagine di questo

libro e nell'umanità di Francesco d'Assisi, il progetto evangelico che papa Francesco sta portando avanti per tutta la Chiesa? Una Chiesa non chiusa nelle sue istituzioni, ma povera e aperta all'incontro, capace di proporre il Vangelo con la parola e con la vita.

È questo il merito forse maggiore di queste pagine, quello di condurci a riflettere sul «ribelle» Francesco, certo, ma anche quello di farci intravedere il volto del cristianesimo delle prossime generazioni.

Cardinale Pietro Parolin
Segretario di Stato
8 dicembre 2017

Francesco il ribelle

Alla Fraternità del Sacro Convento di Assisi

La primavera francescana si inserisce in questo contesto come la risposta provvidenziale a tutte queste aspirazioni sgorgate dal più profondo dell'anima cristiana. La povertà appare come rimedio, se non addirittura come il rimedio. La storia di Francesco è una delle meglio conosciute [...]. Tutti, cattolici e non cattolici, credenti e non credenti ne sono stati in ogni tempo toccati. In tutti nasce la sensazione di scoprirvi il Vangelo nella sua integrale purezza.

FRANÇOIS VANDENBROUCKE

Cos'è un ribelle? Un uomo che dice no!

ALBERT CAMUS

Introduzione

Il sogno di un ribelle

Da giovane Francesco sognò di diventare un cavaliere. Qualcosa gli diceva che la sua esistenza si sarebbe compiuta lontano dalla sua origine borghese; che una scelta radicale l'avrebbe condotto altrove. La letteratura francese nutriva quel sogno: nella vita dei cavalieri della Tavola Rotonda si poteva scorgere l'immagine di un uomo virtuoso e audace.

Ma quel sogno si dimostrò presto essere il preludio di un altro, ben più grande e importante. Servire totalmente il Signore, vivere secondo il Vangelo, ponendo riparo alla crisi del cristianesimo curiale, stretto tra corruzione ed eresie.

La biografia che presentiamo vuole rivivere questo sogno riconducendosi semplicemente ai gesti essenziali della vita di Francesco, edificata sulla sequela di quella di Cristo.

Ed essere fedele a Cristo fu un compito rivoluzionario. Fu il compito di un anticonformista, di un ribelle.

Con una profonda ricaduta persino nell'arte, come dimostra la storica rappresentazione di Cimabue. Come Francesco volle seguire Cristo incarnato, non un'immagine ideale o trasfigurata, così Cimabue ritrae il Poverello: gracile, ma appassionato e determinato, senza quel volto emergente dagli sfondi dorati dell'arte bizantina. È l'inizio di un realismo che inaugura al finire del Medioevo la nostra modernità. Infatti, sessant'anni dopo la sua morte, annota

Philippe Daverio, Bencivieni di Pepo, il pittore fiorentino meglio noto come Cimabue e nato quattordici anni dopo la morte del santo, lo raffigura posto sul lato destro della *Maestà* che dipinge a fresco, quindi velocemente, nella Basilica inferiore di Assisi.

L'iconografia è innegabilmente degna d'interesse in quanto la scena dell'affresco è analoga a quella d'una pala che Cimabue dipinge negli stessi anni, sempre con una *Maestà* similare, questa volta stesa a tempera su un fondo oro, e quindi dipinta con l'attenzione e la lentezza che il supporto richiede. La pala spiega meglio l'affresco in quanto vi si riscontra tutta la ieraticità d'una estetica bizantina nel momento della sua evoluzione verso una espressività nuova e intensa. Ciò che colpisce immediatamente l'occhio è la forte dissimilitudine linguistica fra il modo rappresentativo ieratico della *Maestà*, che avviene nel mondo dei cieli, e la raffigurazione del santo che appare come figura assolutamente terrena. È quello di Francesco, infatti, forse il primo ritratto «realista» della pittura europea sul finire del Medioevo; d'altronde i sessant'anni che separano la sua età ultima dalla sua raffigurazione sono un tempo sufficientemente breve per potere sostenere la veridicità dell'immagine, visto che alcuni testimoni allora ottantenni potevano certificarne la somiglianza e che probabilmente tra i frati circolavano alcune immagini poi disperse.

Questo ritratto è fortemente innovativo in quanto per la prima volta la necessità della somiglianza diventa causa profonda del dipingere. Mai fino a quel momento la questione si era posta: basta a tale proposito rivedere i ritratti, rimasti nei codici miniati, dell'uomo fra i più noti dell'epoca, e cioè quel Federico II di Svevia che si fece raffigurare in modi assai diversi e del quale forse il ritratto più probabile è ciò che rimane di una statua marmorea oggi conservata a Barletta, mentre quella miniata coeva sembra appartenere ad altra persona. Come apparisse effettivamente Federico rimane un mistero; che aspetto avesse Francesco è invece questione apparentemente riscontrabile. Eccolo infatti, privo di ogni esaltazione aulica, piccolo, assai gracile, poetico e determinato al contempo, capace di passione.

Francesco è l'uomo moderno, come moderna è la lingua che pratica e usa sia per la poesia sia per la predicazione. E il suo è di questa modernità forse il primo ritratto autentico. La mutazione dalla percezione bizantina a quella moderna avviene proprio in quegli anni. Per la prima volta la pittura intende raffigurare il mondo della realtà. Ne è esempio assai convincente la minuta descrizione tecnica della Croce vista dal retro nella scena del *Presepe di Greccio* dipinta nella Basilica superiore: l'attenzione alla carpenteria mai sarebbe venuta in mente a un pittore di tradizione bizantina. Per raggiungere quel risultato ci volle la rivoluzione legata all'esaltazione del lavoro come valore etico, nuovo nella cultura antropologica della città italiana del Duecento. L'Italia dei Comuni stava generando una sensibilità nuova della quale Francesco fu, come afferma Philippe Daverio, uno dei massimi interpreti.

Così il sogno di Francesco è insieme il sogno di una modernità nel segno del Vangelo. È la modernità, l'*ora* sempre presente della Parola, incarnata nell'azione, nell'andare per il mondo.

Ecco dunque la rivoluzione di Francesco: articolata nei *luoghi*, nel *linguaggio*, nei *gesti*. Ciò alla luce di un orizzonte che è quello della neomodernità.

I luoghi

Chiostro è il mondo, cella il nostro corpo: l'Assisiate rompe con ogni luogo chiuso, che è forma di potere che esclude, separa, divide. Il mondo sia la casa di Dio e sia il luogo di un andare verso e non di un aspettare. Tra i tanti episodi ne propongo due. Il primo, un luogo simbolico. Dinanzi alle resistenze della sua proposta, la Curia romana e non pochi frati gli chiedevano di ricalcare le indicazioni di altri santi. L'Assisiate risponde e ottiene la «sua regola»: «Non voglio quindi che mi nominiate altre regole, né quella di sant'Agostino, né quella di san Bernardo o di san Benedetto. Il Signore mi ha detto che questo egli voleva: che io fossi nel mondo un "novello pazzo"».[1]

Se questa è la rottura con luoghi e indicazioni comuni dell'epoca, l'altra è legata alla scelta delle piazze che diventano l'occasione per stare, parlare e annunciare alla gente la follia del Vangelo: da Bologna ad Alviano, da Ascoli a Greccio, da Assisi ad Ancona, ad Alessandria. Strade e mari diventano le sue bussole per raggiungere Damietta in Egitto.

Questi gesti di rottura, che non attendono l'altro ma vanno alla sua ricerca, già preparano la rivoluzione del linguaggio. Prima che si possa parlare deve essere già aperto lo spazio dell'ascolto: non si predica la Parola se l'altro non ripone in me la fiducia. Solo a quel punto la lingua trova parole che incidono, che includono. E la lingua di Francesco ne trova di bellissime: la letteratura della lingua italiana nasce con i versi del *Cantico di frate Sole*, noto anche come *Cantico delle creature*. Vero manifesto di una parola e di una cultura popolari: Francesco parla a tutti, a tutte le creature del creato.

Il linguaggio

A ragione, i biografi insistono sull'utilizzo di una terminologia volta ad annullare gli antagonismi di una società basata sul potere e sulla forza delle relazioni familiari. Come ha evidenziato Jacques Le Goff nel suo *San Francesco d'Assisi*, dalle fonti emerge una grande diffidenza verso espressioni che implicano il predominio o che presuppongono uno stato d'inferiorità di talune persone. Così gli avversari lessicali di Francesco sono «maestro» e «magnate» ma anche «superiore» e «priore». Come anche «abate» e «abbazia». *Le strutture religiose* non vengono più chiamate «monastero» o «abbazia» sotto l'autorità di un abate o abbadessa. Il termine «abbazia», per esempio, deriva dal tardo latino *abbatīa* e

---

[1] *Compilazione di Assisi*, 18.

significa «ciò che appartiene all'abate». «Convento», invece, richiama al convenire, allo stare insieme, e al ripartire. Mentre diventano positive parole come «minore» e, chiaramente, «fratello» e «fraternità». Negli scritti di Francesco, dopo il termine Dio, la parola più adoperata è «fratello».

Il termine per indicare il responsabile di un gruppo di conventi non è «superiore», ma «custode», colui che custodisce e valorizza, con umiltà e servizio, il suo carisma e la fraternità. Responsabile di un convento è il «guardiano»: colui che guarda, che si prende cura dell'altro.

Nella quarta *Ammonizione* san Francesco non usa mezzi termini: «non sono venuto per essere servito ma per servire» (*Mt* 20,28). Coloro che sono costituiti in autorità sopra gli altri tanto devono gloriarsi di quell'ufficio prelatizio quanto se fossero deputati all'ufficio di lavare i piedi (cfr. *Gv* 13,14) ai fratelli. Ancor più sorprendenti le parole con le quali i frati dovevano prendersi cura l'uno dell'altro: «E con fiducia l'uno manifesti all'altro la propria necessità, perché l'altro gli trovi le cose che gli sono necessarie e gliele dia. E ciascuno ami e nutra il suo fratello, come la madre ama e nutre il proprio figlio, in quelle cose in cui Dio gli darà la grazia».[2]

I frati sono preziosi perché tali e non per la condizione sociale d'origine. Un modo di stare nella società: circolare e non piramidale. Non l'uno sopra l'altro, ma l'uno accanto all'altro.

I gesti

La rottura con la mondanità e le feste, l'abbraccio dei lebbrosi, la rottura col padre. Rottura e ribellione. Meno drastici, almeno per la forma esterna, gli incontri con il sultano, il dialogo con il papa, la regola e la sua applicazione. Ma il radicalismo è innegabile, anche nel dialogo con l'isti-

---

[2] *Regola non bollata*, cap. IX.

tuzione. È questa infatti che deve riconoscere in Francesco, nella sua rivoluzione, il senso autentico che il cristianesimo rischia di smarrire. Sia chiaro, il figlio di Bernardone è un ribelle contro il suo tempo che va volgendo verso la vittoria dell'individualismo e della «società dell'avere», non contro la Chiesa e nemmeno contro la gerarchia.

Infatti, quella Chiesa che un giorno accolse Francesco con sospetto oggi ha scelto di vivere nel suo nome, di continuare quel sogno attraverso tre orizzonti: vivere la pace, realizzare la solidarietà, rispettare il creato.

Francesco vuol dire sognare oggi una società migliore, solidale e aperta ai più deboli. E soprattutto sognarla nel segno della pace.

Nella *Leggenda dei tre compagni* – non una biografia vera e propria, ma una rilettura della sua esperienza umana e spirituale che si avvicina all'uomo Francesco attraverso le sue emozioni e i suoi desideri – troviamo un episodio decisivo.[3] Mentre con l'abito succinto, il bastone e i calzari, Francesco «ispirato da Dio cominciò ad annunziare la perfezione del Vangelo, predicando a tutti la penitenza con semplicità», entra in scena un personaggio, di cui il biografo tace il nome, e che per le vie di Assisi si rivolge a tutti proprio con questo saluto: pace e bene! Diventerà, questo gesto, il segno di riconoscimento dei francescani.

Commentando l'invocazione finale del Salmo 121 che augura a Gerusalemme la pace, papa Benedetto XVI ha detto che «essa è tutta ritmata sulla parola ebraica *shalom*, "pace", tradizionalmente considerata alla base del nome stesso della città santa *Jerushalajim*, interpretata come "città della pace". Come è noto, *shalom* allude alla pace messianica, che raccoglie in sé gioia, prosperità, bene, abbondanza. Anzi, nell'addio finale che il pellegrino rivolge al tempio, alla "casa del Signore nostro Dio", si aggiunge alla pace il

[3] *Leggenda dei tre compagni*, num. 26.

"bene": "Chiederò per te il bene". Si ha, così, in forma anticipata il saluto francescano: "pace e bene!"».[4]

Così Francesco ci riconduce ancora sulla strada delle origini e della città sacra. Non per alimentare un nostalgico ritorno, ma perché essa diventi mondo. Perché il mondo ritrovi la pace. Che Gerusalemme *sia*!

[4] Benedetto XVI, Udienza generale, 12 ottobre 2005.

I

«Nacque al mondo un sole»

Di media statura, quasi piccolo, testa rotonda e proporzionata, volto un po' ovale e proteso, fronte piana e piccola, occhi di media grandezza, neri e sereni, capelli scuri, sopracciglia diritte, naso proporzionato, sottile e rettilineo, orecchie dritte ma piccole, tempie piane, parola mite, ardente e penetrante, voce robusta, dolce, chiara e sonora, denti ben allineati, regolari e bianchi, labbra sottili, barba nera e rada, collo sottile, spalle dritte, braccia deboli, mani scarne, dita lunghe, unghie allungate, gambe esili, pelle delicata, magrissimo, veste rozza, sonno brevissimo, mano generosissima.

TOMMASO DA CELANO

È con le parole di Dante[1] che cominciamo questa storia. Francesco come un nuovo sole. Un sole nato più di mille anni dopo Cristo, ad Assisi, nel freddo inverno del 1182.

Figlio di un mercante di stoffe di nome Pietro di Bernardone, fu battezzato con il nome di Giovanni. Ma fu presto chiamato da tutti Francesco, un nome che al tempo non era certo diffuso come oggi.

Herman Hesse ci regala una sfaccettatura: «"Cesco!" chiamò la voce della madre. Silenzio e caldo tutt'intorno: un tardo, assonnato pomeriggio italiano. Ancora una volta, giocoso e invitante: "Cesco!". Frullar d'ali sull'aia, macchie di sole sotto la pergola e lo sfumare azzurro d'olivi del paesaggio umbro, laggiù verso la pianura».

---

[1] Dante Alighieri, *Paradiso* XI, v. 50.

Un nome forse dato in ricordo dei buoni affari del padre in Francia, o per la passione con cui leggeva le canzoni di gesta, i romanzi di Artù e dei cavalieri della Tavola Rotonda: se diverse sono le ipotesi, indiscutibile è il legame con il Paese d'oltralpe. Del bambino e del ragazzo non sappiamo nulla. Le fonti tacciono.

Intravediamo, con un po' di fantasia, che si sarà costruito un cavallino a ruote per giocare ai tornei con i suoi coetanei. Avrà imparato a memoria le preghiere del *Salterio*: *Pater*, *Ave*, *Gloria*, che generalmente i bambini del Medioevo memorizzavano, sotto le intransigenti guide degli insegnanti. Avrà giocato con i suoi amici nella piazzetta del sagrato della chiesa di San Giorgio, dove i piccoli di Assisi venivano mandati a scuola; la stessa chiesa dove, più tardi, come affermano gli storici, verrà sepolto.

Francesco fu un giovane allegro, generoso, spensierato. Di modi eleganti e ricercati, tanto da apparire più figlio di nobili che di mercanti, amava banchettare e festeggiare con gli amici. Nel vestire imitava la moda del *mi-parti*, dell'abito diviso a metà, con stoffe pregiate di colori diversi. Amava soprattutto cantare. Come tanti giovani della sua età, crebbe in un'atmosfera festosa, «tra le vanità dei vani figli degli uomini».[2]

«Era tanto più allegro e generoso, gli piaceva godersela e cantare, andando a zonzo per Assisi giorno e notte con una brigata di amici, spendendo in festini e divertimenti tutto il denaro che guadagnava o di cui poteva impossessarsi. A più riprese, i genitori lo rimbeccavano per il suo esagerato scialare, quasi fosse rampollo di un gran principe anziché figlio di commercianti. Ma siccome in casa erano ricchi e lo amavano teneramente, lasciavano correre, non volendolo contristare per quelle ragazzate. La madre, quando sentiva i vicini parlare della prodigalità del giovane, rispon-

---

[2] Bonaventura, *Leggenda maggiore* I, 1.

deva: "Che ne pensate del mio ragazzo? Sarà un figlio di Dio, per sua grazia".»[3]

Eppure la vita quotidiana non faceva ombra ai sogni di una vita altra. Francesco avrebbe voluto affrancarsi dal ceto dei mercanti e divenire un nobile, un cavaliere. Forse proprio ispirandosi ai modi e alla liberalità che ai cavalieri erano raccomandati, le fonti ci raccontano di un Francesco prodigo al punto da destare scandalo. Era infatti costume dei cavalieri la generosità (*largesse*) e la cortesia verso i poveri.

Un giorno, mentre lavora nella bottega paterna, entra un mendicante a chiedere la carità per amore di Dio. Dopo averlo scacciato, Francesco sente immediatamente di avere sbagliato. Se fosse entrato un cavaliere o un nobile avrebbe forse reagito così?

«La dolce mansuetudine unita alla raffinatezza dei costumi; la pazienza e l'affabilità più che umane, la larghezza nel donare, superiore alle sue disponibilità che si vedevano fiorire in quell'adolescente come indizi sicuri di un'indole buona, sembravano far presagire che la benedizione divina si sarebbe riversata su di lui ancora più copiosamente nell'avvenire.»[4]

Questo immediato pentimento è uno dei tanti segni che annunciano nel giovane Francesco un conflitto interiore destinato a erompere presto. Certo, il gesto del donare era tipico della figura del cavaliere a cui il giovane voleva ispirarsi. «È col donare che un uomo di valore viene in alto pregio» era scritto nel *Garin le Lorrain* (sec. XII). Ma in Francesco si annunciava qualcosa di più profondo: quando sentiva parlare dell'amore di Dio, non riusciva a non provare un «intimo turbamento».[5]

Un turbamento che nasce alla luce di una profondità interiore (nei suoi scritti, soprattutto nelle *Regole*, emerge la chia-

---

[3] *Leggenda dei tre compagni*, num. 2.
[4] Bonaventura, *Leggenda maggiore* I, 1.
[5] Bonaventura, *Leggenda maggiore* I, 1.

ra distinzione tra ciò che è carnale e ciò che è spirituale; sono i passaggi più estesi), una capacità introspettiva, ma anche alla luce delle vicende storiche della città di Assisi che non lo lasciarono indifferente. Annota Franco Cardini che «Verso i tredici anni, egli assisté probabilmente nella cattedrale di San Rufino – Pietro di Bernardone non avrà fatto mancare a sé e alla sua famiglia un'occasione del genere – o immediatamente fuori di essa, alle cerimonie per il battesimo del piccolo Federico Ruggero che univa le stirpi sveva e normanna di Sicilia in quanto figlio dell'imperatore romano-germanico Enrico VI e di Costanza d'Altavilla, figlia postuma di Ruggero II re di Sicilia che, dopo lunghe vicissitudini, si era visto riconoscere i legittimi diritti al trono paterno.

«Verso i quattordici-quindici anni, Francesco avrà cominciato a ricevere da suo padre le basi della professione: Pietro lo avrà preso con sé nel fondaco o si sarà fatto accompagnare in qualche viaggio (come del resto aveva potuto fare già anni prima), provando magari anche ad affidargli qualche incarico di responsabilità. Un giovinetto quindicenne era, per gli standard e negli usi giuridici del tempo, ormai alla soglia della maggiore età: quindici anni bastavano anche a venir armati cavalieri. Sedici-diciassettenne, è spettatore degli eventi che portarono alla presa della rocca e all'espulsione dalla città di alcune tra le famiglie più potenti o alla loro spontanea partenza per l'esilio.»

Emerge comunque una domanda: se «Cesco» vi avesse o meno partecipato. Gli storici ci dicono che è molto probabile, come è probabile che alcuni dei suoi amici e futuri compagni di strada vi avessero preso parte.

La sua maggiore età, i desideri e i sogni del suo cuore, come quelli cavallereschi, ma soprattutto la sua conversione vanno dal periodo storico che parte dalla conquista popolana della cittadella imperiale alla guerra assisano-perugina del 1201-1203.

Due date sono importanti. Quella del 1198 e quella del 1203. Esse rappresentano uno spaccato significativo della vita assisana. Di quella vita che segna indirettamente e direttamente la formazione di un giovane. Il primo è l'anno della rivolta popolana, della presa della rocca imperiale e della cacciata in esilio di una parte almeno dei *boni homines*; il secondo – è sempre Franco Cardini a riferirlo nel suo *Francesco d'Assisi* – è quello nel quale fra essi e i *populares* si stipulò una *charta pacis*, all'indomani di una guerra contro Perugia sfavorevolmente conclusasi per gli assisani.

Chissà se questo accordo di pace non abbia segnato per sempre il profeta della Pace?

Il giovane Francesco

> Aveva un coraggio infiammabile e all'inizio impugnò armi.
>
> ERRI DE LUCA

Dell'ardore giovanile di Francesco non tutti sono a conoscenza. L'uomo che immaginiamo mite e docile era in realtà un combattente. Un fuoco lo animava che non sfuggì allo sguardo dei suoi contemporanei. Si dice che un tale, vedendolo passare, stendesse ai suoi piedi un mantello, predicendogli un grande futuro. Si apre in tal modo anche il primo «film a colori» che Giotto ha immortalato nella Basilica superiore. Di quali grandi imprese sarebbe stato protagonista? Si vedeva cavaliere, Francesco: come altrimenti interpretare quella profezia per un giovane della sua età e formazione?

Così, quando Assisi venne assaltata nel 1198, esplosero tensioni tra borghesi e cavalieri che poi si sarebbero acuite nella lotta tra assisani e perugini. Francesco, sedicenne, non si trasse indietro e, prima con il popolo – la borghesia –, poi contro Perugia si mise al servizio della causa.

Non la gloria però, ma il carcere fu l'esito della sua militanza. Eppure, nemmeno lì egli si perse d'animo, nemmeno lì il fuoco si spense. Tra lamenti e diverbi dei compagni che non sopportavano – e soprattutto non riuscivano a non manifestare – il disagio per quella penosa situazione di isolamento dal mondo, Francesco, continuando a credere in un futuro luminoso, mantenne un umore gioioso che lentamente riuscì a ristabilire nel gruppo di prigionieri un'atmosfera lieta e pacificata. «Vi era tra i compagni di prigionia un cavaliere superbo, un caratteraccio insopportabile. Tutti cercano di emarginarlo, ma la pazienza di Francesco non si spezza: a furia di sopportare quell'intrattabile, ristabilisce la pace fra tutti. Era un animo capace *di ogni grazia* e, *fino da allora*, come *vaso eletto di virtù*, esalava attorno i suoi carismi.»[6]

Uscito convalescente di prigione, Francesco affronta i suoi vent'anni provato nel fisico e nell'anima. Tutto gli appare indifferente, la famiglia e gli amici. La vita stessa gli s'impone nella sua assenza di scopo. Diviene però più compassionevole con i bisognosi. E alcuni gesti, meglio di tante parole, sembrano anticipare la direzione che presto prenderà la sua esistenza. Un giorno dona un mantello a un nobile cavaliere in miseria. «Così, con un solo gesto, compì un duplice atto di pietà, poiché nascose la vergogna di un nobile cavaliere e alleviò la miseria di un povero.»[7] È una scena che ricorda san Martino: «Eguali sono stati il fatto e la generosità, solo il modo è diverso: Francesco dona le vesti prima del resto, quello invece le dà alla fine, dopo aver rinunciato a tutto. Ambedue sono vissuti poveri e umili in questo mondo e sono entrati ricchi in cielo. Quello, cavaliere ma povero, rivestì un povero con parte della sua veste, questi, non cavaliere ma ricco, rivestì un cavaliere povero con la sua veste intera».[8]

Ci chiediamo quale fosse quella vita che, nel *Testamento* e nella *Vita seconda* di Tommaso da Celano, è descritta essere nel peccato e che le fonti storiche propongono con un'immagine, ovvero quella del *rex iuvenum*, tradotto dalle *Fonti*

---

[6] Tommaso da Celano, *Vita seconda*, num. 4. Un testo che per i suoi dettagli è ricco di verità storiche ed esistenziali.
[7] Bonaventura, *Leggenda maggiore* I, 2.
[8] Tommaso da Celano, *Vita seconda*, num. 5.

Francescane come «re delle feste», una gioiosa consuetudine, viva ancora oggi in alcune società, in cui venivano dati attributi come corona e scettro per la festa. Anche il suo abbigliamento, nato in parte per civetteria, era di ispirazione giullaresca, rattoppando pezzi di stoffe preziose con cenci e non più di tanto basato sul *mi-parti*, ma seguendo quelle forme stravaganti tipiche della cultura cortese. Un modo di vivere che conseguì fino ai venti anni circa.

Il Francesco di questo periodo, al contrario di quanto letteratura e alcuni passaggi della *Vita prima* di Tommaso da Celano ci propongono, non è un ragazzo acerbo, immaturo, semplice, ignorante ma un uomo già pieno di responsabilità familiari e sociali. Lo sottolinea la *Vita seconda* di Tommaso da Celano, redatta dal biografo in epoca più matura e senza le ristrettezze e le censure a cui lo aveva sottoposto Gregorio XI, influenzata dalle parole riportate dai primi seguaci del santo. Appare qui un Francesco simpatico, umano, dalla vita forse peccaminosa: «*in peccatis*» la definisce Francesco, nell'accezione di uomo al di fuori della vita ecclesiastica.

Egli vive, infatti, una vita mondana scandita da alcune consuetudini solidaristiche del tempo, come le «brigate» presenti anche nella «iuventus assisana», esistenti nei vari centri urbani dell'epoca, ma sicuramente gioiosa, intensa e matura. All'interno di quel genere di brigate Francesco con i suoi avrà sicuramente dato vita a tornei improvvisati, feste e incontri a volte a onta degli statuti urbani. Eventi in cui, secondo l'etica cortese e la letteratura occitana, non era previsto solo l'amore devoto e vassallatico – riservato alle donne di alto lignaggio – ma ve ne era anche uno basato, a volte, su una gerarchia di violenza in cui alla contadinella si potevano fare avances esplicite, la pastorella si poteva moderatamente forzare, mentre alla guardiana di porci si saltava addosso senza tanti problemi.

Inoltre, per condurre quel tipo di vita da «cavaliere» era sicuramente necessario essere una persona sana (al contrario di quanto generalmente si racconta, anche per condurre la guerra a cui aveva partecipato), agiata (dato il costo dell'equipaggiamento, la necessità di possedere due o tre cavalli e avere tempo di dedicarsi all'allenamento), e matura (date le responsabilità, per esempio, del dover mantenere un cavallo).

Le deduzioni, a tratti fuorvianti, della vita del santo assisano prima di «uscire dal mondo» sono tali in quanto tutte girano intorno al concetto della sua conversione, a darne risalto come evento improvviso ed eclatante. Ma la verità, come sottolineano sia Chiara Frugoni sia Franco Cardini, è che egli «all'inizio della conversione continuava a adorare se stesso». Ambiva, cioè, a crescere di rango e di considerazione sociale in un contesto, quello della società di allora profondamente cristiana, che associava gerarchie e valori alla Suprema divina maestà.

II

Alla ricerca del padre

«Allora perché lasci il signore per seguire il servo?»
Leggenda dei tre compagni

Intanto, in Puglia, la corte di Gualtiero III di Brienne preparava la crociata che avrebbe dovuto riconquistare Gerusalemme invasa dai turchi. Non c'era onore più grande a quel tempo per i cristiani: liberare la Città Santa e restituirla ai suoi pellegrini. Francesco decide di partire. Un sogno ne fu presagio: raccontava di uno splendido palazzo nobiliare pieno di armi e di scudi crociati. Il senso è chiaro, o almeno così pare a Francesco: è la conferma delle sue aspirazioni. «Il suo spirito mondano» scrive Tommaso da Celano «gli suggeriva una interpretazione mondana della visione, mentre ben più nobile era quella nascosta nei tesori della sapienza di Dio».[1] Francesco è certo di diventare un grande principe, non sospetta che il sogno possa contenere una rivelazione divina.

Ma il viaggio si ferma già a Spoleto. Francesco comincia a non sentirsi bene. Riposandosi gli sembra che qualcuno gli chieda: «Chi credi che ti possa fare più del bene, un signore o il suo servo?».

«Il signore.»

«E allora perché lasci il signore per seguire il servo e il principe per il suo sottoposto?»

«Signore, cosa vuoi che io faccia?»

---

[1] Tommaso da Celano, *Vita seconda*, num. 6.

«Ritorna nella tua città e ti sarà detto cosa devi fare, perché quella visione deve essere interpretata in un altro modo.»[2]

Francesco decide così di tornare ad Assisi: ha bisogno di meditare. Da quel momento non sarà più lo stesso.

Passava molte ore a pregare in solitudine, talvolta in una grotta, amava confidarsi con il vescovo Guido, ma contemporaneamente dissimulava con gli amici, al punto di giocare con loro al «re del banchetto». Francesco viveva un dissidio che sarebbe presto esploso. Amava la vita, il lusso in cui viveva e forse sarebbe potuto diventare un commerciante come il padre. Ma quando fu inviato a Roma per vendere una partita di merce, quella non fu l'esperienza del giovane e rampante commerciante, fu invece l'esperienza del nuovo Francesco: distribuì il ricavato della vendita tra i poveri e scambiò le sue vesti da commerciante con un mendicante. A Roma chiese l'elemosina nel cortile di San Pietro in mezzo agli altri mendicanti, da cui però si distinse parlando non già il volgare, ma il francese, la lingua elegante dei cavalieri: un cavaliere che si batte in nome della generosità, un cavaliere «dal coraggio disinteressato». Se dalla Puglia sarebbe voluto tornare cavaliere, e da Roma commerciante, lo vediamo invece tornare mendicante.

Il rumore della raganella

> «E allontanandomi da essi, ciò che mi sembrava amaro mi fu cambiato in dolcezza di animo e di corpo.»
>
> SAN FRANCESCO, *Testamento*

Come tanti suoi conterranei, anche Francesco, girando a cavallo per il contado, si era tenuto lontano dal rumore delle raganelle. Annunciavano, le raganelle, la presenza dei lebbrosi, permettendo ai sani di evitare il loro sguardo, di scac-

---

[2] *Leggenda dei tre compagni*, num. 6.

22

ciarne il turbamento. La malattia era considerata segno del peccato o quantomeno del concepimento nel peccato. Ed ecco la versione agiografica. Un giorno Francesco incontra uno di quei peccatori. *Scende* da cavallo, gli *bacia* la mano e lo *abbraccia*. Smette cioè di sentirsi migliore, abbassa le difese e riconosce l'altro come fratello. Lo riconosce *abbracciandolo*. Francesco inaugura una logica affettiva della fraternità. Abbraccia prima i lebbrosi, poi i frati, poi le creature tutte.

L'abbraccio del lebbroso, quel contatto, è così l'attraversamento di una soglia, l'inizio di una *vita nuova*. I lebbrosi sono gli ultimi, i reietti spinti al margine della comunità. Francesco torna a trovarli nel loro ospizio donandogli una gran quantità di denaro. Bacia le mani, si lascia toccare. Nel suo *Testamento*, rievocando quella soglia, scriverà parole bellissime: «E allontanandomi da essi, ciò che mi sembrava amaro mi fu cambiato in dolcezza di animo e di corpo». Di ritorno dalla soglia, l'amaro si muta in dolce, una nuova disposizione d'animo e di corpo si prepara ad accogliere e a donarsi. Forse queste parole gli furono suggerite da una lettura francese giovanile, il *Cligès* di Chrétien de Troyes: «Tutti gli altri mali sono amari, fuorché quello solo che procede dall'amore: esso invece converte la sua amarezza in dolcezza e soavità». Certo dopo l'incontro di Francesco con i lebbrosi anche questo passo si carica di un significato più profondo, più estremo. Francesco incontra davvero l'altro divenendo insieme altro a se stesso.

Per comprendere la forza rivoluzionaria di questo passaggio decisivo nella sua vita, è necessario tener presente che la lebbra è rappresentata nei testi sacri come una malattia impura, che attacca e riduce in brandelli l'anima. Se la malattia era considerata segno di punizione a causa del peccato, e l'ammalato riverito come analogia della sofferenza di Cristo redentore, il lebbroso era considerato il male assoluto, l'uomo privato della remissione dei peccati e, quindi, della salvezza.

Ad Assisi i lebbrosari erano diversi: uno era presso la chiesa di San Rufino in Arce, accanto vi era quello di Santa Maria Maddalena. Vi era poi un ospedale, quello di San Salvatore, oggi Villa Gualdi, da alcuni ritenuto un vero e proprio lebbrosario. Il Concilio Lateranense III del 1179, infatti, aveva disposto che i malati avessero chiese e ospedali propri.

Francesco, ed ecco il cuore della conversione, fa emergere l'eco delle parole del Vangelo: «Non c'è nulla che abbiate fatto a questi piccoli, e che non abbiate fatto a me» (*Mt* 25,31-46). Chissà che in lui non riecheggiassero parole simili a quelle delle Beatitudini: «Ero lebbroso sulla via di Assisi, e tu non mi hai abbracciato».

Così Franco Cardini descrive da storico il passaggio: «Il figlio di Pietro Bernardone ha formulato con pienezza una dichiarazione d'amore definitivo e incondizionato al Cristo sulla croce, un fermo, irreversibile proposito di denudarsi per seguirlo. La sfida alla paura del contagio e della morte [...] non è stata in realtà che un alto e profondo *fiat voluntas Tua* pronunziato fra gli olivi della piana d'Assisi a memore similitudine dell'altro, più alto e profondo ancora, pronunziato fra gli olivi del Gethsemani».

Il cuore della conversione ci dice che Francesco comprende le ragioni dell'altro. Testimonianza tarda ne è un altro racconto, anche questo rivoluzionario ma in chiave allegorica, di un tiranno eugubino, il lupo di Gubbio, dove le annotazioni dei *Fioretti* dettano la causa di tanta aggressività: la mancanza di cibo. Eccone, nudo e crudo, l'episodio:

Del santissimo miracolo che fece santo Francesco,
quando convertì il ferocissimo lupo d'Agobbio

Al tempo che santo Francesco dimorava nella città di Agobbio, nel contado d'Agobbio apparì un lupo grandissimo, terribile e feroce, il quale non solamente divorava gli animali, ma eziandio gli uomini, in tanto che tutti i cittadini stavano in gran paura, però che spesse volte s'appressava alla città; e tutti andavano armati quando uscivano della città, come s'eglino andassono a combattere, e con tutto ciò non si poteano difendere da lui, chi in lui si scontrava solo. E per paura di questo lupo e' vennono a tanto, che nessuno era ardito d'uscire fuori della terra.

Per la qual cosa avendo compassione santo Francesco agli uomini della terra, sì volle uscire fuori a questo lupo, bene che li cittadini al tutto non gliel consigliavano, e facendosi il segno della santissima croce, uscì fuori della terra egli co' suoi compagni, tutta la sua confidanza ponendo in Dio. E dubitando gli altri di andare più oltre, santo Francesco prese il cammino inverso il luogo dove era il lupo. Ed ecco che, vedendo molti cittadini li quali erano venuti a vedere cotesto miracolo, il detto lupo si fa incontro a santo Francesco, con la bocca aperta; ed appressandosi a lui santo Francesco gli fa il segno della santissima croce, e chiamollo a sé e disse così: «Vieni qui, frate lupo, io ti comando dalla parte di Cristo che tu non facci male né a me né a persona». Mirabile cosa a dire! Immantanente che santo Francesco ebbe fatta la croce, il lupo terribile chiuse la bocca e ristette di correre; e fatto il comandamento, venne mansuetamente come agnello, e gittossi alli piedi di santo Francesco a giacere. E santo Francesco gli parlò così: «Frate lupo, tu fai molti danni in queste parti, e hai fatti grandi malifici, guastando e uccidendo le creature di Dio sanza sua licenza, e non solamente hai uccise e divorate le bestie, ma hai avuto ardire d'uccidere uomini fatti alla immagine di Dio; per la qual cosa tu se' degno delle forche come ladro e omicida pessimo; e ogni gente grida e mormora di te, e tutta questa terra t'è nemica. Ma io voglio, frate lupo, far la pace fra te e costoro, sicché tu non gli offenda più, ed eglino ti perdonino ogni passata offesa, e né li uomini né li cani ti perseguitino più».

E dette queste parole, il lupo con atti di corpo e di coda e di orecchi e con inchinare il capo mostrava d'accettare ciò che santo Francesco dicea e di volerlo osservare. Allora santo Francesco disse: «Frate lupo, poiché ti piace di fare e di tenere questa pace, io ti prometto ch'io ti farò dare le spese continuamente, mentre tu viverai, dagli uomini di questa terra, sicché tu non patirai più fame; imperò che io so bene che per la fame tu hai fatto ogni male. Ma poich'io t'accatto questa grazia, io voglio, frate lupo, che tu mi imprometta che tu non nocerai mai a nessuna persona umana né ad animale: promettimi tu questo?».

E il lupo, con inchinare di capo, fece evidente segnale che 'l prometteva. E santo Francesco sì dice: «Frate lupo, io voglio che tu mi facci fede di questa promessa, acciò ch'io me ne possa bene fidare». E distendendo la mano santo Francesco per ricevere la sua fede, il lupo levò su il piè ritto dinanzi, e dimesticamente lo puose sopra la mano di santo Francesco, dandogli quello segnale ch'egli potea di fede.

E allora disse santo Francesco: «Frate lupo, io ti comando nel nome di Gesù Cristo, che tu venga ora meco sanza dubitare di nulla, e andiamo a fermare questa pace al nome di Dio». E il lupo ubbidiente se ne va con lui a modo d'uno agnello mansueto; di che li cittadini, vedendo questo, fortemente si maravigliavano. E subitamente questa novità si seppe per tutta la città; di che ogni gente, maschi e femmine, grandi e piccioli, giovani e vecchi, traggono alla piazza a vedere il lupo con santo Francesco. Ed essendo ivi bene raunato tutto 'l popolo, levasi su santo Francesco e predica loro, dicendo, tra l'altre cose, come per li peccati Iddio permette cotali cose e pestilenze, e troppo è più pericolosa la fiamma dello inferno, la quale ci ha a durare eternalemente alli dannati, che non è la rabbia dello lupo il quale non può uccidere se non il corpo: «quanto è dunque da temere la bocca dello inferno, quando tanta moltitudine tiene in paura e in tremore la bocca d'un piccolo animale. Tornate dunque, carissimi, a Dio e fate degna penitenza de' vostri peccati, e Iddio vi libererà del lupo nel presente e nel futuro dal fuoco infernale».

E fatta la predica, disse santo Francesco: «Udite, fratelli miei: frate lupo che è qui dinanzi da voi, sì m'ha promesso, e fattomene fede, di far pace con voi e di non offendervi mai in cosa nessuna, e voi gli promettete di dargli ogni dì le cose necessarie; ed io v'entro mallevadore per lui che 'l patto della pace egli osserverà fermamente». Allora tutto il popolo a una voce promise di nutricarlo continovamente. E santo Francesco, dinanzi a tutti, disse al lupo: «E tu, frate lupo, prometti d'osservare a costoro il patto della pace, che tu non offenda né gli uomini, né gli animali, né nessuna creatura?». E il lupo inginocchiasi e inchina il capo e con atti mansueti di corpo e di coda e d'orecchi dimostrava, quanto è possibile, di volere servare loro ogni patto.

Dice santo Francesco: «Frate lupo, io voglio che come tu mi desti fede di questa promessa fuori della porta, così dinanzi a tutto il popolo mi dia fede della tua promessa, che tu non mi ingannerai della mia promessa e malleveria ch'io ho fatta per te». Allora il lupo levando il piè ritto, sì 'l puose in mano di santo Francesco. Onde tra questo atto e gli altri detti di sopra fu tanta allegrezza e ammirazione in tutto il popolo, sì per la divozione del santo e sì per la novità del miracolo e sì per la pace del lupo, che tutti incominciarono a gridare al cielo, laudando e benedicendo Iddio, il quale sì avea loro mandato santo Francesco, che per li suoi meriti gli avea liberati dalla bocca della crudele bestia.

E poi il detto lupo vivette due anni in Agobbio, ed entravasi dimesticamente per le case a uscio a uscio, sanza fare male a persona e sanza esserne fatto a lui, e fu nutricato cortesemente dalla gente, e andandosi così per la terra e per le case, giammai nessuno cane gli abbaiava drieto. Finalmente dopo due anni frate lupo sì si morì di vecchiaia, di che li cittadini molto si dolsono, imperò che veggendolo andare così mansueto per la città, si raccordavano meglio della virtù e santità di santo Francesco.[3]

Il distacco

«In seguito, stetti un poco, e uscii dal mondo.»
SAN FRANCESCO, *Testamento*

Un giorno Francesco si ritira a pregare presso la decrepita chiesetta di San Damiano. In un'esperienza mistica avverte che il Cristo parla alla sua anima e gli dice: «Va', Francesco, e ripara la mia Chiesa in rovina». L'intensità di quel momento gli rivela per la prima volta l'essenza del Crocifisso, l'abisso del dolore che separa il Padre dal Figlio, l'ora dell'ultimo grido. Quel dolore interiore non lo abbandona più, e prefigura la comparsa delle stimmate. Lo aiuta il poter corrispondere, intanto, alla richiesta e riparare la casa del Signore: ricostruirla facendosi umile muratore. Vende

---

[3] *Fioretti di san Francesco*, capitolo XXI.

stoffe e cavallo per finanziare il progetto, ma il padre, Pietro di Bernardone, venuto a saperlo, va su tutte le furie. Francesco fugge da casa, ritirandosi in una caverna.

Proviamo a immaginarlo: solo, malnutrito, sporco. Credendo che sia impazzito, i bambini cominciano a tirargli sassi per strada. Roso dalla vergogna, umiliato nel vedere il figlio, su cui tanto aveva investito, trattato come un idiota, Pietro lo chiude in casa. Dinanzi a una nuova fuga del figlio, forse favorita dalla madre impietosita, il padre decide di citare Francesco davanti ai consoli; poi, si rivolge al vescovo. «Tutta Assisi» raccontano le fonti, assiste al processo nel palazzo vescovile. Il figlio ribelle accetta di restituire tutto, compresi i vestiti che portava indosso.

«Non sopportò indugi o esitazioni, non aspettò né fece parole; ma immediatamente, depose tutti i vestiti e li restituì al padre [...] e si denudò totalmente davanti a tutti dicendogli: "Finora ho chiamato te mio padre sulla terra; d'ora in poi posso dire con tutta sicurezza: *Padre nostro che sei nei cieli*, perché in lui ho riposto ogni mio tesoro e ho collocato tutta la mia fiducia e la mia speranza".»[4]

È la scena madre che sarà presente nel ciclo di Giotto nella Basilica superiore e in tutti i racconti della vita di Francesco. Una delle scene che meglio dicono dello *scandalo* della fede autentica, del distacco e dell'abbandono della famiglia naturale per seguire Gesù Cristo. Un distacco che costò dolore e sofferenza profonda. In un gioco di specchi unico, un padre che vorrebbe disconoscere il figlio si trova invece disconosciuto in nome di un altro Padre.

È l'esplodere dell'avventura umana, cristiana e francescana del ribelle di Assisi. È l'inizio di un cammino che toccherà tutte le latitudini del mondo. È una rivoluzione che condurrà anche la Chiesa a comprendere i suoi «sbandamenti» attraverso un altro specchio, *l'Alter Christus*, come lo chiameranno i primi biografi e non solo.

---

[4] Bonaventura, *Leggenda maggiore* II, 4.

III

In cammino

Da quel momento [dopo l'incontro con il papa Innocenzo III] il beato Francesco, girando per città e castelli, cominciò a predicare dappertutto con più grande impegno e sicurezza, non ricorrendo a persuasivi ragionamenti fondati sulla sapienza umana, ma basandosi sulla dottrina e sulla forza dello Spirito Santo, annunziando con fiducia il regno di Dio. Era un evangelizzatore della verità, fatto forte dall'autorità apostolica. Trascorsi undici anni dall'inizio della loro Religione, essendo i frati cresciuti in numero e in meriti, furono eletti dei ministri e inviati assieme a gruppi di frati in quasi tutte le parti del mondo.

Leggenda dei tre compagni

Non andare dove il sentiero ti può portare; vai invece dove il sentiero non c'è ancora e lascia dietro di te una traccia.

RALPH WALDO EMERSON

Ogni ribelle rifiuta la strada che trova già tracciata e si mette in cammino. Come scriveva il poeta Robert Frost, in *La strada non presa*, è tale gesto che fa la differenza nelle esistenze che lasciano il segno:

Questa storia racconterò con un sospiro
Chissà dove fra molto molto tempo:
Divergevano due strade in un bosco, e io...
Io presi la meno battuta,
E di qui tutta la differenza è venuta.

Quando Francesco si ribellò al padre, spogliandosi di ogni ricchezza, stava predisponendosi al viaggio. E in Francesco il viaggio non è soltanto una metafora della scoperta di un senso più profondo dell'esistenza. È sempre attraverso «frate corpo» che l'anima fa esperienza. Ma che tipo di cammino è quello del santo di Assisi?

Il viaggio è in fondo una delle grandi e costanti esperienze dell'umanità. Un archetipo fondamentale. C'è il viaggio di Gilgamesh, l'eroe mesopotamico che ricerca l'albero della vita e dell'immortalità. Viaggio fallito perché un serpente morderà il germoglio ottenuto da Gilgamesh facendolo seccare proprio mentre l'eroe dorme lungo la riva del lago. La nostra civiltà inizia, inoltre, con un duplice cammino: quello di Abramo, il padre della fede ebraica e cristiana, dalla mesopotamica Ur fino alla Terra promessa, e quello nostalgico di Ulisse alla ricerca della patria perduta. È certo che, come afferma Platone nell'*Apologia di Socrate*, «una vita senza ricerca non merita di essere vissuta».

Tuttavia un viaggio può essere anche di conversione o di ritorno al Padre; quello di Dante nella *Commedia* o di Faust; il viaggio come avventura; quello attraverso gli Stati Uniti, *Sulla strada*, di Kerouac («la strada è la vita» diceva lo scrittore americano) o quello del recente film *Into the wild* di Sean Penn.

E non diceva Cristo, alla fine del secolare cammino messianico di Israele, di essere «Via, verità e vita»? Certo i pellegrinaggi sono stati e sono ancora oggi una forma importante nella storia del viaggiare: gli ebrei protesi verso Gerusalemme; i cristiani rivolti ai santuari mariani o a quelli dei martiri (Santiago di Compostela ne è l'emblema) o a Roma; i musulmani pellegrini alla Mecca; gli hindu verso i fiumi sacri con la Kumbh Mela. Ma fu quello di Francesco un viaggio come pellegrinaggio? Se è vero che, come tutti i pellegrini, Francesco andò oltre le città, per *ager*, cercando il luogo che lo chiamava, per lui, al di là della meta, è l'esperienza stessa del viaggiare a essere costitutiva. Esperienza che non è mai fuga dal mondo, come in molteplici forme di ascetismo religioso. Essenziale nella regola di vita del santo di Assisi è il gesto dell'«andare nudi per il mondo», una grande rivoluzione rispetto all'interpretazione monastica e claustrale prevalente nel cattolicesimo.

Così i luoghi per ritirarsi a pregare, i piccoli romitori, sono sì abbastanza isolati perché si possa fuggire ogni distrazione, ma sempre vicini alla città per potervi ritornare rinvigoriti nello spirito a predicare. Da San Damiano alla Porziuncola, da Nocera Umbra a Gubbio, da Greccio fino ai monti della Verna, dove Francesco si ritirò e ricevette in dono le stimmate, questi e altri luoghi segneranno sì le tappe del percorso spirituale di Francesco, ma senza oscurare i continui ritorni nelle città.

A ragione, osserva Massimo Cacciari, «per essere pellegrino Francesco ama troppo le città e i suoi demoni», testimonianza ne è la cacciata dei demoni di Arezzo. Come, d'altra parte, non conosce mete privilegiate: «La stessa Terra Santa è un luogo dove *praedicare Verbum*, come ovunque e a chiunque. Predicare? Mostrare piuttosto – e mostrarlo in ogni villaggio che si incontra; ognuno è buono per l'evento, come a Greccio».

Così i viaggi dei cavalieri cantati dai poeti, tanto amati dal giovane Francesco, si mutano nella ricerca incessante dell'altro, del prossimo. Non più a cavallo, ma a piedi nudi. Non più eleganti e ricchi di agi, ma privi di ogni cosa, persino dell'essenziale.

«Andate, carissimi» suona così l'esortazione di Francesco a non restare, ma a riprendere il cammino. Esiste un nesso tra il viaggiare e l'umano. Il camminare, come tratto proprio dell'*humanum*, oltre ad accomunare tutti gli uomini, costituisce nello stesso tempo una provocazione alla ricerca della verità, che può unire in un incontro a un tempo inclusivo e rispettoso delle differenze. È quello che ha fatto Francesco. Generando nuove prospettive, che hanno promosso sensibilità e approcci capaci di guardare la realtà con distensione, serenità e fiducia.

Il cammino dell'Assisiate non è, dunque, un esodo, ma un itinerario verso il mondo, attraverso il mondo. Nel senso della parola biblica *paroikia*, un abitare un paese senza esserne cittadino a tutti gli effetti. Continua Cacciari: «È del tutto assente nella sua *paroikia* ogni accento di estraneità nei confronti del mondo. In *paroikia* ciò che per lui vale è anzitutto il para, l'accanto. Egli passa sempre, ma il suo non è un passare-oltre, un oltrepassare, è sempre un farsi-accanto, un approssimarsi. Non è estraneo all'*oikos*, alla casa, ma partecipa a tutti. Il cammino di Francesco è un correre verso l'altro. Ogni staticità nella relazione di prossimità viene travolta dalla gioia che dona questo volare all'altro, libero da ogni impedimento». Nelle immagini dantesche Francesco corre. Corre dalla lotta col padre che lo vuol trattenere, corre dietro alla sua amata, Madonna Povertà.

E corre senza perdere la letizia, senza alcuna melanconia, verso l'altro. Forse la strada meno battuta fu davvero quella francescana, che oggi è aperta a chiunque al Poverello s'ispiri. La strada che non ha altra meta che non sia l'uomo, ovunque egli si trovi, a Gerusalemme come a Damietta, a Betlemme come a Greccio.

È interessante come il cammino di Francesco sia animato dal pacificare. Testimonianza ne sono i suoi innumerevoli incontri con gesti rivoluzionari, «ribelli», controcorrente. Il ribelle è infatti colui che dice di «no» a sistemi iniqui, perversi, accomodanti. Che rinuncia ai «sì» sporcati dal tornaconto personale o da compromessi che non rispettano le persone. Da dogmatismi che non permettono di cogliere il cuore della vita, il battito delle persone.

I due episodi che qui richiamo manifestano questa lucidità di Francesco. Il primo è quello che racconta Tommaso da Celano di quando «venne dal santo la madre di due frati a chiedere fiduciosamente l'elemosina. Provandone vivo dolore il santo si rivolse al suo vicario, frate Pietro di Cattanio: "Possiamo dare qualcosa in elemosina a nostra madre?", perché chiamava madre sua e di tutti i frati la madre di qualsiasi religioso. Gli rispose padre Pietro: "In casa non c'è niente che possiamo darle. Abbiamo solo" aggiunse "un Nuovo Testamento, che ci serve per le letture del mattutino, essendo noi senza breviario"».

Gli rispose Francesco: «Da' alla nostra madre il Nuovo Testamento: lo venda secondo la sua necessità, perché è proprio Lui che ci insegna ad aiutare i poveri. Ritengo per certo che sarà più gradito al Signore l'atto di carità che la lettura». Così fu regalato il libro alla donna e fu alienato per questa santa carità il primo Testamento che ebbe l'Ordine».[1]

L'altro episodio è quello dei ladroni di Montecasale. Vicino a San Sepolcro infatti, come riporta la *Compilazione di Assisi*, erano nascosti dei ladri che depredavano i passanti, per questo i frati del luogo sostenevano che non era il caso di dargli l'elemosina.

> Francesco, giungendo in quel luogo, disse loro: «Andate e procuratevi del buon pane e del buon vino, portateli a loro nei boschi dove sapete che si trovano e chiamateli gridando: "Fratelli briganti, venite da noi: siamo i frati e vi portiamo del buon pane e del buon vino!". Essi verranno subito da voi. Allora voi stenderete per terra una tovaglia, vi disporrete sopra il pane e il vino, e li servirete con umiltà ed allegria finché abbiamo mangiato. Dopo il pasto annunciate loro le parole del Signore, e alla fine fate loro questa prima richiesta per amor di Dio: che vi promettano di non percuotere nessuno e di non fare del male ad alcuno nella persona. Poiché, se domandate tutte le cose in una sola volta, non vi daranno ascolto; invece, vinti dall'umiltà e carità che dimostrerete loro, ve lo prometteranno. Un altro giorno, grati della buona promessa che vi hanno fatto, procurate di aggiungere al pane e al vino anche uova e cacio, portate tutto a loro e serviteli, finché abbiano mangiato. Dopo il pasto direte loro: "Ma perché state in questi posti a morire di fame e a sopportare tanti disagi, facendo tanto male con il pensiero e le azioni, a causa delle quali perderete le vostre anime se non vi convertirete al Signore?"». [...]

I frati si mossero ed eseguirono ogni cosa secondo le indicazioni del beato Francesco. E i briganti, per la misericordia di Dio e la sua grazia, discesa su di loro, ascoltarono ed eseguirono alla lettera, punto per punto, tutte le richieste che i frati avevano fatto loro. Anzi, per la familiarità e la ca-

---

[1] Tommaso da Celano, *Vita seconda*, num. 678.

rità dimostrata loro dai frati, cominciarono a portare sulle loro spalle la legna fino al romitorio. E così, per la misericordia di Dio e per la circostanza favorevole di quella carità e familiarità che i frati dimostrarono verso di loro, alcuni entrarono nella Religione, gli altri fecero penitenza promettendo nelle mani dei frati di non commettere mai più, da allora in poi, quei misfatti, ma di voler vivere con il lavoro delle proprie mani.[2]

Se dovessi sintetizzare lo stile di questi due racconti e i gesti esistenziali di Francesco potrei dire che sono animati da una verità socratica che è anche verità evangelica: «Ogni parola, prima di essere pronunciata, dovrebbe passare tre porte. Sull'architrave della prima è scritto: "È vera?". Sulla seconda campeggia la domanda: "È necessaria?". Sulla terza è scolpita l'ultima richiesta: "È gentile?"».

[2] *Compilazione di Assisi*, num. 1669.

IV

Vita nuova

«Andate nudi per il mondo!»
SAN FRANCESCO

C'è povertà e povertà. Si può essere poveri e nello stesso tempo avidi, invidiosi, cupidi. La povertà non è necessariamente abitata dalla luce dello spirito. L'uomo non è naturalmente buono, l'ombra della cacciata dall'Eden si allunga su ognuno di noi.

Dopo aver meditato a lungo sui Vangeli, assistito i lebbrosi, restaurato chiese, Francesco venne colpito da un passo tratto da una predica di Cristo. Fu una rivelazione. «I discepoli non devono possedere né oro, né denaro, né portare bisaccia, né pane, né bastone per la via, né avere calzari, né due tonache, ma soltanto predicare il Regno di Dio e la penitenza»; così recitava il brano.

Francesco fece sue queste parole; ne fece un abito che non dismise mai. Non possedere *nulla* non voleva dire *essere uno* con tutto? Non era l'assenza di ogni possesso la premessa necessaria per un autentico e gratuito dono? Solo chi non ha nulla può realmente donare. E quale dono più grande che il dono di se stessi? *Andate nudi per il mondo*, avrebbe predicato senza sosta Francesco.

Scelse una tunica ruvida con cappuccio di nessun valore e sostituì alla cintura di cuoio una corda annodata. Tutto nella veste doveva ricordare il Crocifisso. Nei nodi della corda insieme riconoscibile il segno di una decisione e di una privazione. Finora a chierici e monaci era vietato

35

mendicare, l'elemosina poteva essere pericolosa, poteva esporre al rischio e al pericolo. A proposito dell'abito si trattava di un *sagum*, da cui deriva la parola «saio», indumento da lavoro e da viaggio fin dall'età romana. Si trattava di una sorta di camicione, lungo fino a metà polpaccio e stretto in vita da una corda, indossato dai contadini del Medioevo.

Annota Cardini che «la corda recava un certo numero di nodi, tradizionale simbolo di promessa dotato anche di valore "magico", di legame rispetto a essa. La stoffa della quale il *sagum* era confezionato doveva essere un panno di lana del tipo meno pregiato e costoso, il cosiddetto "berrettino" di tessuto non pettinato e non tinto che poteva presentarsi di vari colori e sfumature, dal bigio al bruno». Un abito che indossavano gli umiliati, i valdesi e i catari. Le tre grandi categorie che mettevano in discussione lo stile della Chiesa del tempo.

Francesco non pensò mai di diventare prete o monaco. Non avrebbe atteso i fedeli in una chiesa, ma sarebbe andato a cercarli per il mondo. Francesco abita l'aperto, è difficile immaginarlo in uno spazio chiuso, claustrale. Francesco è l'apertura stessa.

Al *manere* da cui proviene la *stabilitas loci* del possesso terriero e del dominio il ribelle d'Assisi oppone il *movere*, l'andare per il mondo. Testimonianza ne è la bellissima pagina tratta dal *Sacro Patto con Madonna Povertà*, un testo anonimo che propone la grande ribellione:

> Portarono poi Madonna Povertà in un posto dove potesse riposarsi perché era assai stanca e così tutta nuda si buttò sulla nuda terra. Chiese anche un cuscino da mettere sotto la testa; subito le procurarono una pietra e la posero sotto il suo capo.
>
> Ed ella dopo un sonno placidissimo non appesantito da vino si alzò alla svelta e chiese che le mostrassero finalmente il chiostro [è il termine che subito evoca la separazione dal resto del mondo voluta dai monaci], la condussero in cima a un colle e le mostrarono tutta intorno la terra fin dove si

poteva spingere lo sguardo, dicendo: «questo, Signora, è il nostro chiostro!».[1]

I primi a essere colpiti dalla predicazione di Francesco sono Bernardo da Quintavalle, uomo ricco che dona ai poveri tutti i suoi beni, Pietro Cattani e frate Egidio. Più tardi si aggregheranno i «tre compagni»: frate Angelo, frate Rufino e frate Leone. Nell'inverno del 1209 alla Porziuncola saranno dodici, come gli apostoli di Gesù. Insieme non si fermeranno mai, saranno sempre in missione. E perché su di loro siano eliminati tutti i sospetti di eresia, Roma sarà una delle prime tappe.

Ma il *modo* di vivere questo «andare per il mondo» lo propone con forza e senza mezzi termini il *Dettato della Perfetta Letizia*, a mio avviso uno dei più bei testi della spiritualità occidentale. Anche se lo pongo all'inizio dei primi passi della nascente fraternità, questo testo in realtà è il frutto di un lungo percorso, quasi il punto di arrivo del cammino di Francesco e indirettamente la risposta di una «ribellione» al «ribelle» che propone un no senza se e senza ma al narcisismo personale, dell'Ordine, della Chiesa. Non amava i narcisi del clero, bensì i testimoni del Vangelo. A lui la parola:

Come andando per cammino santo Francesco e frate Lione,
gli spuose quelle cose che sono perfetta letizia

Venendo una volta santo Francesco da Perugia a Santa Maria degli Angioli con frate Lione a tempo di verno, e 'l freddo grandissimo fortemente il crucciava, chiamò frate Lione il quale andava innanzi, e disse così: «Frate Lione, avvegnadioché li frati Minori in ogni terra dieno grande esempio di santità e di buona edificazione, nientedimeno scrivi e nota diligentemente che non è quivi perfetta letizia».

E andando più oltre santo Francesco il chiamò la seconda volta: «O frate Lione, benché il frate Minore allumini li ciechi e distenda gli attratti, iscacci le dimonia, renda l'udi-

[1] *Sacro Patto con Madonna Povertà*, num. 63.

re alli sordi e l'andare alli zoppi, il parlare alli mutoli e, ch'è maggiore cosa, risusciti li morti di quattro dì; iscrivi che non è in ciò perfetta letizia».

E andando un poco, santo Francesco grida forte: «O frate Lione, se 'l frate Minore sapesse tutte le lingue e tutte le scienze e tutte le scritture, sì che sapesse profetare e rivelare, non solamente le cose future, ma eziandio li segreti delle coscienze e delli uomini; iscrivi che non è in ciò perfetta letizia».

Andando un poco più oltre, santo Francesco chiamava ancora forte: «O frate Lione, pecorella di Dio, benché il frate Minore parli con lingua d'Agnolo e sappia i corsi delle istelle e le virtù delle erbe, e fussongli rivelati tutti li tesori della terra, e conoscesse le virtù degli uccelli e de' pesci e di tutti gli animali e delle pietre e delle acque; iscrivi che non è in ciò perfetta letizia». E andando ancora un pezzo, santo Francesco chiamò forte: «O frate Lione, benché 'l frate Minore sapesse sì bene predicare, che convertisse tutti gl'infedeli alla fede di Cristo; iscrivi che non è ivi perfetta letizia».

E durando questo modo di parlare bene di due miglia, frate Lione con grande ammirazione il domandò e disse: «Padre, io ti priego dalla parte di Dio che tu mi dica dove è perfetta letizia». E santo Francesco sì gli rispuose: «Quando noi saremo a Santa Maria degli Agnoli, così bagnati per la piova e agghiacciati per lo freddo e infangati di loto e afflitti di fame, e picchieremo la porta dello luogo, e 'l portinaio verrà adirato e dirà: "Chi siete voi?" e noi diremo: "Noi siamo due de' vostri frati"; e colui dirà: "Voi non dite vero, anzi siete due ribaldi ch'andate ingannando il mondo e rubando le limosine de' poveri; andate via"; e non ci aprirà, e faracci stare di fuori alla neve e all'acqua, col freddo e colla fame infino alla notte; allora se noi tanta ingiuria e tanta crudeltà e tanti commiati sosterremo pazientemente senza turbarcene e senza mormorare di lui, e penseremo umilemente che quello portinaio veramente ci conosca, che Iddio il fa parlare contra a noi; o frate Lione, iscrivi che qui è perfetta letizia. E se anzi perseverassimo picchiando, ed egli uscirà fuori turbato, e come gaglioffi importuni ci caccerà con villanie e con gotate dicendo: "Partitevi quinci, ladroncelli vilissimi, andate allo spedale, ché qui non mangerete voi, né albergherete"; se noi questo sosterremo pazientemente e con allegrezza e con buono amore; o frate Lione, iscrivi che quivi è perfetta letizia. E se noi pur costretti dalla fame e dal freddo e dalla notte più picchieremo e chiameremo e pregheremo per l'amore di Dio con grande pianto che ci apra e mettaci pure dentro, e quelli più scandolezzato dirà: "Costoro sono gaglioffi importuni, io li pagherò bene come son degni"; e uscirà fuori con uno bastone nocchieruto, e piglieracci per lo cappuccio e gitteracci in terra e involgeracci nella neve e batteracci a nodo a nodo con quello bastone: se noi tutte queste cose sosterremo pazientemente e con allegrezza, pensando le pene di Cristo benedetto, le quali dobbiamo sostenere per suo amore; o frate Lione, iscrivi che qui e in questo è perfetta letizia. E però odi la conclusione, frate Lione. Sopra tutte le grazie e doni dello Spirito Santo, le quali Cristo concede agli amici suoi, si è di vincere se medesimo e volentieri per lo amore di Cristo sostenere pene, ingiurie e obbrobri e disagi; imperò che in tutti gli altri doni di Dio noi non ci possiamo gloriare, però che non sono nostri, ma di Dio, onde dice l'Apostolo: "Che hai tu, che tu non abbi da Dio? e se tu l'hai avuto da lui, perché te ne glorii, come se tu l'avessi da te?". Ma nella croce della tribolazione e dell'afflizione ci possiamo gloriare, però che dice l'Apostolo: "Io non mi voglio gloriare se non nella croce del nostro Signore Gesù Cristo"». A laude di Gesù Cristo e del poverello Francesco. Amen.[2]

---

[2] *Fioretti di san Francesco*, cap. VIII.

V

Regola di vita

Che cos'è una regola, se essa sembra confondersi
senza residui con la vita? E che cos'è una vita umana, se essa non può più essere distinta dalla regola?

GIORGIO AGAMBEN

Francesco compone una regola, una «forma-di-vita»,
come scrive Bonaventura. È probabile che fosse una
serie di passi tratti dal Vangelo per orientare la vita sua e
quella dei frati. Alla regola si aderisce integralmente. La regola è «una vita che si lega così strettamente alla sua forma
da risultarne inseparabile» scrive Agamben. Non si vive attraverso la prescrizione della regola, ma *nella* regola. È la regola che misura la vita, che ne detta il tempo. Nella regola
l'osservazione esteriore della legge diviene superflua, perché essa è incarnata nella perfezione dell'esempio.

Chi segue la regola, ha scritto Giorgio Agamben in un
libro dedicato a Francesco, «non si obbliga, come avviene
nel diritto, al compimento di singoli atti previsti nella regola, ma mette in questione il suo modo di vivere, che non si
identifica con una serie di azioni né si esaurisce in esse [...]
[come scrive Tommaso] "i monaci non promettono la regola, ma di vivere secondo la regola" [...] l'oggetto della promessa non è più qui un testo legale da osservare o una certa azione o una serie di comportamenti determinati, ma la
stessa *forma vivendi* del soggetto».

Alla legge Francesco, come Cristo, sostituisce la testimonianza e l'esempio. Solo attraverso l'esempio positivo si può
indurre qualcuno a cambiare, non attraverso l'esortazione della predica e la condanna del giudizio. Un esempio che poteva

essere troppo duro da seguire, come gli faceva notare paternamente il vescovo Guido d'Assisi: «La vostra vita mi sembra dura e aspra perché non possedete nulla a questo mondo». Ma il Poverello rispondeva: «Signore, se avessimo dei beni, dovremmo disporre anche di armi per difenderli. È dalla ricchezza che provengono questioni e liti, e così sono impediti in molte maniere tanto l'amore di Dio quanto l'amore del prossimo. Perciò non vogliamo possedere alcun bene materiale in questo mondo».[1] Avrebbe potuto aggiungere: «Anche tu dovresti cambiare il tuo modo di vivere» dal momento che era sulla bocca di tutti la lite tra il vescovo e il podestà di Assisi.

Nel nome di questo spirito di esemplarità che diventa povertà vera, Francesco si presenterà a papa Innocenzo III, chiedendo di benedire la sua regola, la sua forma di vita secondo il Vangelo. Ecco perché la predicazione francescana è sempre essenziale e breve. Il francescano non ama prediche lunghe e noiose, ma lascia parlare, prima della sua bocca, la sua vita, così nella *Regola Bollata*: «Ammonisco inoltre ed esorto gli stessi frati che, nella predicazione che fanno, le loro parole siano esaminate e caste a utilità e edificazione del popolo annunciando ai fedeli i vizi e le virtù, la pena e la gloria con brevità di discorso poiché brevi discorsi fece il Signore sulla terra».[2]

Non dovette essere facile essere ricevuti dal papa, impegnato tra crociate e lotte alle eresie. Pare che in un primo momento Francesco e i suoi fossero stati cacciati come dei mendicanti, dei «guardiani di porci», e che solo dopo un ravvedimento sarebbero stati ammessi al cospetto di Innocenzo III. Lo ha raccontato bene Dario Fo, con la sua fantasia, la sua provocazione, la sua arguzia, che riprende una delle tradizioni di questo incontro.

Innocenzo III fu inizialmente infastidito dalle proposizioni di Francesco che negavano il valore della raccolta della carità: chi raccoglie la carità ha il più grande potere, più

---

[1] *Leggenda dei tre compagni*, num. 35.
[2] *Regola Bollata*, cap. IX.

grande di quello dell'imperatore, che è colui che gestisce la carità. Innocenzo avrebbe lodato Francesco e gli avrebbe suggerito di andare in mezzo ai porci, di abbracciarli e mescolarsi a loro. Francesco va davvero dai porci, parla loro e fa quello che dice il papa. Poi corre dal papa, riesce a entrare nel salone... Il papa lo vede e trema, lui si inchina e lo sporca lanciando sterco ovunque, il papa alza la mano per fare segno alle guardie di fermarlo. Per fortuna interviene il vescovo Colonna, amico di Francesco, che parla col papa, dicendogli che potrebbe sì incarcerarlo, ma lui ha padre e madre, e tanti altri, e sta rischiando una guerra a Roma. Gli suggerisce di abbracciarlo, lui lo fa e capisce che ha commesso un errore. Da questo momento Francesco può andare a dire il Vangelo perché ha dato una lezione. La violenza, lo sterco, è utilizzata come termine morale straordinario.

Il papa, d'altronde, era una figura agli antipodi della visione del mondo francescana. Un pessimista che aveva scritto un libro dal titolo emblematico, *Del disprezzo del mondo*. Quale abisso con l'autore del *Cantico delle creature*. Alla paura delle tenebre Francesco contrappone la ricerca della luce:

> O alto e glorioso Dio,
> illumina le tenebre
> de lo core mio [...]

è una delle preghiere più amate dal Poverello.

In ogni caso, Francesco non si presenta in ginocchio davanti al papa (come lo dipinge Giotto), ma eretto, pronto a difendere le sue ragioni: «Ma regalmente sua dura intenzione / ad Innocenzio aperse, e da lui ebbe primo sigillo a sua religione». «Regalmente, con sua dura intenzione» ma cercando una relazione con la Chiesa. La relazione per Francesco è costitutiva: non si tratta di separare, scindere, confondersi con l'eresia. L'eresia può creare inimicizia.

Nel racconto di Bonaventura, tra la diffidenza dei presenti all'incontro, un cardinale, Giovanni di San Paolo, trova le parole per convincere il papa della bontà della richiesta: «Questo povero, in realtà, ci chiede soltanto che gli venga approvata una forma di vita evangelica. Se, dunque, respingiamo la sua richiesta, come troppo difficile e strana, stiamo attenti che non ci capiti di fare ingiuria al Vangelo. Se, infatti, uno dicesse che nell'osservanza della perfezione evangelica e nel voto di praticarla vi è qualcosa di strano o di irrazionale, oppure di impossibile, diventa reo di bestemmia contro Cristo, autore del Vangelo».[3]

La prima regola pervenuta sarà presentata all'adunanza dei frati solo nel 1221, più di dieci anni dopo. Ma rimase senza approvazione (*Regola non bollata*) sia del papa sia della Curia (l'approverà soltanto Onorio III nel novembre 1223).

Innocenzo III comunque acconsentirà oralmente alla predicazione francescana. Un sogno, splendidamente ritratto da Giotto nel ciclo di Assisi, romperà i suoi indugi. Un religioso «piccolo e laido», che doveva essere evidentemente Francesco, regge la basilica del Laterano sul punto di crollare. L'uomo che non avrebbe mai sostato per portare ovunque la Parola, che si sarebbe infuriato a Bologna dinanzi a un edificio assegnato ai francescani e che avrebbe provato a distruggere la nuova casa costruita in sua assenza alla Porziuncola, è l'uomo che qui appare reggere e sostenere i fondamenti della Chiesa cristiana.

Una Chiesa cristiana che gli permette, a sua volta, di rivolgersi a tutti, di riannodare rapporti con tutti. Celebre è il testo o meglio la *Lettera ai Reggitori dei Popoli* che senza remore e con schiettezza evangelica esorta i detentori del potere politico a essere retti, a pensare alla povera gente. Gli aspetti che emergono da questo testo sono sostanzialmente tre: il primo è l'invito alla lode. Lode al Signore, che Francesco trae dall'esperienza del suo viaggio a Damietta quando avrà ascoltato e visto i muezzin, e l'invito alla lode pubblica e universale suggerito a Francesco dalla ṣalāt islamica; il secondo è l'appello ad avere chiara la gerarchia dei valori della propria esistenza; infine a mettere al centro

---

[3] Bonaventura, *Leggenda maggiore* III, 9.

del loro programma «politico» il bene comune, l'attenzione a non chiudersi nel proprio io ma pensare agli ultimi e ai poveri, come riportato anche nella *Compilazione di Assisi*: «Nel Natale del Signore, tutti i poveri vengano ben saziati di cibo dai ricchi». Eccone l'avvincente e coraggioso testo:

A tutti i podestà e ai consoli, ai giudici e ai reggitori di ogni parte del mondo, e a tutti gli altri ai quali giungerà questa lettera, frate Francesco, vostro servo nel Signore Dio, piccolo e spregevole, a tutti voi augura salute e pace.

Considerate e vedete che il giorno della morte si avvicina (cfr. *Gen* 47,29). Perciò vi prego con tutta la reverenza di cui sono capace, che a motivo delle cure e preoccupazioni di questo mondo, che voi avete, non vogliate dimenticare il Signore né deviare dai suoi comandamenti assorbiti come siete dalle cure e preoccupazioni di questo mondo, e di non deviare dai suoi comandamenti, poiché tutti coloro che si allontanano dai suoi comandamenti sono maledetti (cfr. *Sal* 118,21), e sono dimenticati da lui (cfr. *Ez* 33,13). E quando verrà il giorno della morte, tutte quelle cose che credevano di possedere saranno loro tolte (cfr. *Lc* 8,18). E quanto più sapienti e potenti saranno stati in questo mondo, tanto maggiori tormenti patiranno nell'inferno.

Perciò io con fermezza consiglio a voi, miei signori, che, messa da parte ogni cura e preoccupazione, facciate vera penitenza (cfr. *Mt* 3,2) e riceviate con animo benigno il santissimo corpo e il santissimo sangue del Signore nostro Gesù Cristo, in santa memoria di lui. E vogliate offrire al Signore tanto onore in mezzo al popolo a voi affidato, che ogni sera si annunci, mediante un banditore o qualche altro segno, che all'onnipotente Signore Iddio siano rese lodi e grazie da tutto il popolo. E se non farete questo, sappiate che voi dovrete renderne ragione (cfr. *Mt* 12,36) davanti al Signore e Dio vostro Gesù Cristo nel giorno del giudizio.

Coloro che riterranno presso di sé questo scritto e lo metteranno in pratica, sappiano che sono benedetti dal Signore Iddio.[4]

---

[4] *Scritti di Francesco d'Assisi – Lettere.*

Povertà è umanità

E nessuno sia chiamato priore, ma tutti allo stesso modo siano chiamati frati minori. E l'uno lavi i piedi dell'altro.

Regola non bollata

Ma l'essenza della povertà riposa tuttavia in un essere. Essere davvero poveri vuol dire: essere in modo tale che manchiamo di tutto ciò che sia in ultima analisi superfluo.

MARTIN HEIDEGGER

Dopo essersi fermati per un po' di tempo a Rivotorto, Francesco e i suoi seguaci si stabiliscono alla Porziuncola. Proprio a Rivotorto, in questa primordiale nascente fraternità, troviamo dischiudersi uno dei gesti «ribelli» carichi di umanità che con sfaccettature diverse animerà lo stile dei figli della pace.

Una notte, mentre tutti dormivano, in un periodo di digiuno, un frate si mise a gridare: «Muoio! Muoio!». Tutti si svegliarono stupefatti e spaventati. Francesco si alzò e fece accendere un lume e chiese: «Chi ha detto: "Muoio"?». Quel frate rispose: «Sono stato io, ché muoio di fame!».

La risposta è sorprendente. Frate Francesco fece preparare la mensa e si mise – racconta lo *Specchio di Perfezione* al capitolo 27 – pieno di carità e discrezione a mangiare con lui, affinché non si vergognasse di prendere il cibo da solo. E volle che tutti gli altri frati partecipassero al pasto. Un episodio che sintetizza e manifesta un nuovo corso, non quello dell'intransigenza ma della comprensione e di una umanità carica di gesti evangelici che non respingono nessuno dietro il pretesto di regole e precetti.

L'incontro poi con Innocenzo III e con i vescovi a Roma li aveva messi dinanzi alla forza della gerarchia ecclesiastica. Come un contrappunto a questa visione verticale e piramidale della comunità, i francescani prediligono lo stare accanto. Nessuno deve essere il Pastore, ma tutti un unico gregge, tutti «frati minori». Chiara Frugoni ha commentato così quest'espressione: «L'essere "minore" esprime un concetto al quale Francesco rimase sempre fedele, difendendolo strenuamente per tutta la vita: perseverare nel condividere con i poveri e i deboli la loro esistenza precaria di emarginati, l'unico modo, secondo il futuro santo, di non entrare nella logica di un potere che costringe a salvaguardare e difendere ciò che si è conquistato, e a vedere un nemico in chi lo insidia».

L'amore di Francesco è condivisione, ma in un senso estremamente esigente, non banalmente filantropico. Chiede di abbandonare *tutto* senza essere tentati di accumulare ciò che nel cammino si conquista. Le cose possono essere usate senza che questo gesto le conduca all'appropriazione. Nessun diritto di proprietà, ma un «usare della cosa come non propria».

Non fondò mai un Ordine: questa istituzione non faceva parte del lessico di Francesco. E rifiutò la cultura e i libri, che i domenicani opponevano all'eresia catara. La cultura rischia di istituire gerarchie tra chi è più o meno dotto, la carità non può che darsi tra pari. Nel libro Francesco riconosce una tentazione da cui bisogna imparare a «resistere». Per comprendere l'*intentio* di Francesco è testimonianza la corrispondenza epistolare con il frate e dottore in teologia Antonio, il futuro santo: «A frate Antonio, mio vescovo, frate Francesco augura salute. Ho piacere che tu insegni la sacra teologia ai frati, purché in questa occupazione tu non estingua lo spirito della santa orazione e devozione, come sta scritto nella Regola. Sta bene». Un testo che non si presta a fraintendimenti, ma pone la giusta gerarchia nella vita dei futuri frati.

Se il Regno è dei poveri di spirito, come Francesco rilegge le *Beatitudini*, il significato di *pauper* muta di segno: «Povero non è il bisognoso, colui che manca-di, ma all'opposto, il *teleios*, il perfetto, colui che perfettamente imita il Figlio». In una parola, il cristiano.

È l'avventura che l'Assisiate desidera vivere. Essa trova espressione in alcuni capitoli della *Regola non bollata*.

Chiara Frugoni parla di «silenziosa rivoluzione» nei capitoli VII, VIII e IX, rispettivamente *Del modo di servire e di lavorare, Che i frati non ricevano denaro, Del chiedere l'elemosina.*

In un periodo storico in cui si cominciava a diffondere la moneta, in cui gli scambi commerciali aumentavano (lo stesso padre del Santo era un mercante in stoffe), e la ricchezza si concentrava nelle mani di pochi, Francesco e i suoi frati lavorano per servire gli altri, non per guadagnare o accumulare provviste. Il cardine della sua prima rivoluzione passa proprio per questa rinuncia all'uso del denaro: i frati, infatti, lavoravano e servivano gratuitamente, rifiutando di conseguire un miglioramento sociale attraverso il loro lavoro. La rivoluzione epocale di Francesco sta nella nuova concezione della natura, della funzione, dell'utilità del lavoro.

Nel *Testamento*, Francesco ci ricorda quanto per lui fosse importante il lavoro più umile, quello manuale: «Io lavoravo con le mie mani e voglio lavorare e voglio fermamente che tutti i frati lavorino di un lavoro quale si conviene all'onestà [...]. Non per cupidigia di ricevere una ricompensa dal lavoro, ma per dare l'esempio». Non vogliono entrare nei sistemi dei legami, delle donazioni, delle elargizioni o dei favori ma desiderano rimanere liberi e indipendenti. Si tratta di un modello economico nuovo la cui dinamica è ben descritta nell'episodio del peccatore impenitente.

> Il corpo è infermo, si avvicina la morte, accorrono i parenti e gli amici e dicono: «Disponi delle tue cose». Ecco, sua moglie e i suoi figli, e i parenti e gli amici fingono di piangere. Ed egli, sollevando gli occhi, li vede piangere e, mosso da un cattivo sentimento, pensando tra sé dice: «Ecco, la mia anima e il mio corpo e tutte le mie cose pongo nelle vostre mani». In verità questo uomo è maledetto, poiché colloca la sua fiducia e consegna la sua anima, il suo corpo e tutti i suoi averi in tali mani; perciò dice il Signore per bocca del profeta: «Maledetto l'uomo che confida nell'uomo».
>
> E subito fanno venire il sacerdote. Gli domanda il sacerdote: «Vuoi ricevere la penitenza per tutti i tuoi peccati?». Risponde: «Sì». «Vuoi per tutte le colpe commesse e per quelle

cose nelle quali hai defraudato e ingannato gli uomini, dare soddisfazione così come puoi, attingendo alla tua sostanza?» Risponde: «No». E il sacerdote: «Perché no?». «Perché ho consegnato ogni mio avere nelle mani dei parenti e degli amici.» E incomincia a perdere la parola e così quel misero muore di morte amara.

Ma sappiamo tutti che ovunque e in qualsiasi modo un uomo muoia in peccato mortale senza dare soddisfazione, e può farlo e non lo fa, il diavolo rapisce la sua anima dal suo corpo con una angoscia e sofferenza così grandi che nessuno può conoscerla se non colui che la subisce. E tutti i talenti e l'autorità e la scienza che credeva di possedere, gli sono portati via. Ed egli lascia il patrimonio ai parenti e agli amici, ed essi lo prendono e se lo dividono e poi dicono: «Maledetta sia la sua anima, poiché poteva darci e procurarci più di quanto non abbia procurato!». Il corpo lo mangiano i vermi; e così quell'uomo perde il corpo e l'anima in questa breve vita e va all'inferno, dove sarà tormentato senza fine.[5]

Con questo testo Francesco dimostra che conosce le dinamiche e i meccanismi della vita familiare, di parenti che non si amano, ma conosce anche i meccanismi giuridici del testatore che si è procurato il guadagno ingiustamente su chi ha vessato e le dinamiche con cui non si saldano i debiti dichiarando l'indisponibilità dei propri beni.

La nascente comunità francescana, rinunciando a lavorare per guadagnare, comprende che sarà più libera di denunciare le ingiustizie di una società che si proclama cristiana. La Frugoni afferma in *Storia di Chiara e Francesco*: «Voglio sottolineare che il modello di vita francescana di un lavoro inteso come servizio verso gli altri e di una pace fondata sulla reciproca accettazione era offerto da una fraternità che non si presentava come ascetica o lontana dal mondo, ma anzi impegnava ad inserirsi nella vita sociale».

La *Regola non bollata* è un testo che si presenta ancor più esplosivo se pensiamo che erano proibite alcune attività,

---

[5] San Francesco, *Epistola ai fedeli II*.

non perché non animate da onestà ma perché non evidenziavano l'attenzione ai bisogni degli altri. Infatti nel capitolo VIII invita i frati a manifestare all'altro la propria necessità con fiducia e ciascuno è chiamato ad amare e nutrire il proprio fratello come la madre ama e nutre il proprio figlio. È il cuore di un nuovo umanesimo che il figlio di Bernardone desidera esprimere attraverso l'esemplarità dei rapporti fraterni, in una società dal cuore indurito dalle nuove forme di commercio e guadagno. In questo stesso capitolo Francesco invita ad accogliere chiunque, con bontà, addirittura anche un brigante.

Infine, nel capitolo IX, Francesco fa notare come i frati debbano andare per l'elemosina quando è necessario e chi si deve vergognare non è tanto chi la riceve ma chi la fa; ponendo indirettamente una domanda: quello che è stato guadagnato e viene dato in elemosina è frutto del lavoro onesto?

VI

Chiara

Audite, poverelle dal Signore vocate,
ke de multe parte e provincie sete adunate:
vivate sempre en veritate
ke en obedientia moriate.

Non guardate a la vita de fore,
ka quella dello spirito è migliore.
Io ve prego per grand'amore
k'aiate discrecione de le lemosene ke ve dà el Segnore.

Quelle ke sunt gravate de infirmitate
e l'altre ke per loro suo' affatigate,
tutte quante lo sostengate en pace,

ka multo venderite cara questa fatiga,
ka ciascuna serà regina en cielo
coronata cum la Vergene Maria.

SAN FRANCESCO, Canto per Chiara

Secondo la testimonianza dei Compagni, accolta dalla gran parte degli studiosi, Francesco avrebbe dettato fra l'inverno e la primavera del 1225, in un periodo di malattia a San Damiano, queste «parole con melodia» perché fossero cantate alle sorelle che si trovavano proprio accanto a quella chiesa. Da diverse province si erano radunate qui, attorno a Chiara.

La storia personale di Chiara, la Chiara secolare, prima dell'incontro con il giullare di Dio, non sembra avere troppo in comune con quella del giovane Francesco. Le origini familiari sono differenti: il padre di Francesco era un mercante, quello di Chiara un nobile. Le differenze sociali dell'epoca non erano di poco conto: la famiglia di Francesco apparteneva al gruppo dei *minores*, i mercanti che dell'intraprendenza facevano lo scudo di un successo lontano dal privilegio del sangue; il padre di Chiara, Favarone di Offreduccio, faceva parte di quel gruppo dei *maiores*, i nobili, incaricati del governo della città.

La vita dei due giovani si intreccia dieci anni prima del loro incontro, nel 1202 o 1203. Su una collina nei pressi di Perugia, quelli che erano chiamati gli *homines populi* – gli uomini del «popolo», parola che nel basso Medioevo ha ancora un'accezione diversa rispetto a quella moderna: sono i mercanti e gli artigiani, i futuri *minores* – vengono battuti dai *boni homines*, i futuri *maiores*, nella battaglia di Collestrada. Francesco combatte a cavallo, ovviamente tra coloro che persero: finisce, come abbiamo raccontato, in prigione a Perugia, e ci resta almeno un anno. Chiara ha all'epoca otto o nove anni – elemento che smentisce categoricamente una relazione amorosa tra i due che tanto è piaciuta a certa filmografia e letteratura romanzata – e, nonostante la famiglia sia assisana, si trova a Perugia. La sua famiglia, nobile, non si era sentita sicura ad Assisi e aveva trovato scampo proprio a Perugia, dove era rimasta fino al 1205. Qui la piccola Chiara sta anche con le sorelle.

La nobiltà di tradizione militare resisterà fino al 1210, quando gli *homines populi* saranno chiamati a governare insieme ai *boni homines*. In questa occasione i primi sono definiti *minores*, i secondi *maiores*.

Il rapporto con la nobiltà da parte di Francesco è da sempre ambivalente: parla il francese, la lingua dell'epica cavalleresca. La lingua dei cavalieri è la lingua dei trovatori, gli stessi che visitano le case dei nobili, anche in Italia.

Figura centrale nella vita di Chiara è la madre, Ortolana, donna di fede e madre di famiglia che compie diversi pellegrinaggi: non solo a Roma, ma anche a San Michele sul Gargano, Santiago di Compostela, Gerusalemme.

Tommaso da Celano scrive che la giovane Chiara contattò Francesco; la accompagnava un'altra giovane, sua amica, Bona di Guelfuccio.

Il 18 marzo 1212, notte della Domenica delle Palme, la fanciulla lascia di nascosto la sua casa per raggiungere la Porziuncola. Francesco cerca di dissuaderla, il suo progetto non contempla la partecipazione delle donne, troppo delicate per i sacrifici richiesti. Ma Chiara è testarda, non ammette compromessi. «Questo è ciò che voglio; questo è ciò che chiedo; questo desidero fare con tutto il cuore»: sono le parole di Francesco, tra le più note e citate – sicuramente tra le più vere che esprimono il cuore e il desiderio vivo – e non è difficile sentirne un'eco nella rottura operata da Chiara.

Come la borghesia nel caso di Francesco, anche la nobiltà perde una delle sue giovani migliori. In nome della sequela di Cristo classi sociali diverse e in acerrimo contrasto si ritrovano unite nel medesimo gesto. Gesto insieme di rottura e di sottrazione. La gioventù educata a competere, a primeggiare, sposa la povertà.

L'immagine di Francesco che taglia i capelli di Chiara evoca una cesura, un sacrificio. È un gesto socioreligioso senza precedenti, che da ruvido si fa semplice: erano i vescovi a consacrare le fanciulle, e Francesco non è un sacerdote; tuttavia esso esprime un segno di conversione, un'inequivocabile scelta di campo, più che un vero e proprio atto di consacrazione. Il radicalismo dei due non può lasciare indifferenti. Tanto più se si pensa al ruolo che la donna rivestiva nel Medioevo.

Chiara non è una fanciulla senza famiglia, non è destinata al chiostro. Francesco inizialmente la fa condurre al monastero benedettino di San Paolo delle Abbadesse: qui Chiara deve subire l'attacco dei parenti, ai quali però resiste con forza. Ella è una giovane donna, non può muoversi nel mondo come i compagni di Francesco, anche per ragioni di opportunità sociale. Dal monastero benedettino di Assisi si sposterà ai piedi del monte Subasio, ospite della comunità di Sant'Angelo in Panzo. La tappa definitiva è nei luoghi di Francesco, accanto alla chiesa di San Damiano. A Sant'Angelo in Panzo l'aveva raggiunta la sorella Caterina, Francesco le diede il nome di Agnese e fu la prima sorella spirituale di Chiara. Le prime *admonitiones*, semplici esortazioni, non regola, sarà Francesco a darle a Chiara. Nel suo *Testamento* Chiara ricorderà che, ricostruendo i muri di San Damiano, aveva profetizzato il loro incontro, quando, senza ancora fratelli, disse a dei poveri che stavano lì vicino, in lingua francese, di aiutarlo, perché lì vi sarebbero state anche delle donne. In San Damiano le sorelle di Chiara si moltiplicarono. Giungeranno la sorella Beatrice e, dopo la morte del marito, la madre Ortolana. E ancora donne di Perugia, dove aveva trovato riparo la famiglia di Chiara tempo prima, e altre donne ancora: sono le «Povere Dame recluse di San Damiano».

Il cardinale Ugolino «regola» la vita di Chiara e sorelle

Il percorso di Chiara è estremo e legato a più interventi da parte di Francesco, in particolare riguardo alla mitigazione del digiuno. Il legame tra il digiuno e il misticismo, percorso verso la perfezione divina, ha radici antiche e nel caso della donna, corpo che crea e fa quindi del corpo la massima rappresentazione del proprio significato, è particolarmente stretto. Dio è nutrimento del corpo. Se ad Agnese da Praga Chiara di Assisi scrive in una lettera che il corpo «non è di bronzo e non ha la resistenza del granito» (riprendendo quel che diceva Abelardo a Eloisa agli inizi del XII secolo) e afferma più volte che il sacrificio va «condito con il sale della prudenza», i suoi digiuni sono severi. Francesco dovrà intervenire per invitarla alla moderazione. Chiara alterna lunghi digiuni a periodi di moderazione ed è estremamente importante il controllo di sé e quello delle sorelle, in una osservazione reciproca.

Anche riguardo alla clausura, Chiara non può accettare una regola che è anche espressione di una osservanza sociale radicata: la Chiesa voleva che le sue donne religiose fossero chiuse in un monastero. Il taglio dei capelli sancisce una separazione e una perdita. Non essere del mondo. Ma essere *nel* mondo? Nel 1219 la regola di Ugolino stabilisce per le Povere Dame recluse di San Damiano il divieto di vista e di parola in regime claustrale. Chiara aggira la clausura: una parte delle sue monache può uscire, parlare con gli altri; il messaggio è l'esortazione all'ammirazione del creato, una sorta di predicazione. Devono andare a curare le malate, le lebbrose, trovare un modo di occuparsi attivamente del prossimo. Si occuperanno dei malati, di tutti i malati: di ogni fede, anche dei musulmani. I lebbrosi, figura d'orrore per il giovane Francesco prima della conversione, nella società del tempo erano il male da emarginare. Le suore di Chiara faranno in parte una «vita di Maria», la vita contemplativa, in parte una «vita di Marta», la vita attiva. Le due sorelle del Vangelo si stringono la mano. Le prime esortazioni di Francesco ponevano al centro delle scelte il coraggio di rivivere il Vangelo. Cristo aveva detto «siete nel mondo ma non del mondo».

Dopo la morte di Francesco Chiara ingaggerà una lotta con le istituzioni ecclesiastiche che culminerà con la Regola scritta per l'«Ordine delle sorelle povere», il nome che scelse per la sua comunità, nel 1252 approvata dal cardinale Rainaldo. Chiara, che soffre di infermità gravi che la costringono a letto, a fasi alterne, dal 1228-29 fino alla morte, non insiste su digiuni e preghiere: ognuna ogni giorno deve ripensare alla sua promessa di rivivere pienamente il Vangelo, in libertà. La coscienza agisce ed è misura, l'ago del mondo è nel cuore dell'uomo. Ogni giorno bisognerà decidere il significato della parola cristiano. «Voglio essere come Lui, come te.» L'ostinazione è misura di una promessa.

Muore l'11 agosto 1253. Papa Innocenzo IV è giunto a San Damiano due giorni prima, il 9 di agosto, per consegnarle la lettera papale che conferma la sua regola. Dopo la sua morte il nome dell'ordine sarà quello di Clarisse.

VII

I nostri fratelli uccelli aspettano quel giorno

> San Francesco
> Una lode! Un punto esclamativo! Un'isola come un punto
> esclamativo!
>
> Fra Masseo
> Che cosa dici?
>
> San Francesco
> Un'isola dei mari al di là dei mari! Là dove le foglie sono
> rosse, i piccioni verdi, gli alberi bianchi, là dove il mare
> cambia dal verde al blu e dal violetto al verde come i ri-
> flessi di un opale! Poiché di questo anche noi abbiamo bi-
> sogno, come gli uccelli delle isole, per rispondere al voto
> del Salmo: e che le isole applaudano!
> [...]
> San Francesco
> Tutte le cose di bellezza devono giungere alla libertà, la
> libertà della gloria. I nostri fratelli uccelli aspettano quel
> giorno...
>
> OLIVIER MESSIAEN, *Saint François d'Assise*, VI

L'arte del predicare si mostra intimamente legata a una
corporeità ingenua, gestualità leggera che esplode
nell'immagine di Francesco circondato da uccelli conse-
gnata da Giotto nella Basilica superiore di Assisi. Con gesti
misurati il santo si rivolge agli uccelli e la pittura di Giotto
lo umanizza; accanto il confratello Masseo, cui non sfugge
un moto di meraviglia.

Nei *Fioretti* e nella *Leggenda maggiore* di san Bonaventura è
il racconto del miracolo forse più noto dell'Assisiate che predica agli uccelli e poi li benedice. I *Fioretti* hanno tramanda-

to l'immagine francescana in forma apocrifa, ciononostante hanno saputo dettare un canone. Mentre Tommaso da Celano terminava la sua prima versione della vita di Francesco, tra il 1228 e il 1229, già viaggiavano le storie e gli episodi che avevano caratterizzato la vita del santo. Nel 1246 i due assisiati Leone e Rufino, assieme a frate Angelo da Rieti, invieranno i loro ricordi al ministro generale Crescenzio da Jesi.

I rigori cui viene sottoposto l'Ordine sono segnati dalla *Leggenda* di Bonaventura: a partire dal 1263, il Capitolo generale di Pisa stabilisce il divieto di diffusione di narrazioni su Francesco. La crisi interna all'Ordine rischia di esplodere definitivamente proprio sui racconti che costruiscono non solo la figura, già leggendaria, di Francesco, ma il francescanesimo come percorso e lettura. Del resto, alla latina *Leggenda maggiore* si ispira il ciclo di affreschi di Giotto che ha dato un volto e luci all'uomo, illuminato ma toccante nella sua umanità, nella profondità dei corpi che sono una nuova chiave stilistica della pittura medievale. Di là dai canoni ufficiali, dai Capitoli e dalle controversie che porteranno a Spirituali e Conventuali, una «scelta di fiori», senza un vero percorso cronologico, si prepara nella descrizione della vita dei primi discepoli di Francesco, della giovane Chiara, delle «dispute» di Francesco con i dubbi e la meraviglia del mondo.

Nei *Fioretti* il miracolo di Francesco che predica agli uccelli segue un momento di dubbio da parte di Francesco stesso. Poco dopo la conversione Francesco si domanda quale debba essere il fondamento della propria opera: se la preghiera in solitudine o la predicazione. A frate Masseo chiede allora di rivolgersi a Chiara e a frate Silvestro, affinché preghino e gli rivelino ciò che Dio ha detto loro sul suo futuro, che è già il futuro di un Ordine. Nei *Fioretti* il compilatore ha avuto cura di ricordare, esattamente come Bonaventura nella *Leggenda maggiore*, che frate Silvestro «avea veduto una croce d'oro procedere dalla bocca di san Francesco, la quale era lunga insino al cielo e larga insino alle estremità del mondo». Chiara e Silvestro gli fecero sapere che Dio lo aveva chiamato a predicare nel mondo, non a conoscere Dio per custodirlo in una preghiera segreta o anche solo silenziosa.

Nell'affresco di Giotto, Chiara Frugoni ha interpretato le diverse tipologie di uccelli come allegorie delle classi sociali, che la predicazione avrebbe dovuto ricomporre in un'unità. Le colombe invece rinvierebbero ad alcune profezie di scritti pseudo-gioachimiti. Gioacchino da Fiore avrebbe previsto l'arrivo di due ordini: quello dei Minori, simboleggiato da una colomba per la sua purezza, e quello dei Predicatori, rappresentato da un corvo (con allusione al colore dell'abito). Le colombe che risalgono al cielo sono dunque i frati, rappresentanti dell'Ordine colombino, e in altri testi le colombe sono le anime che salgono al cielo: queste colombe rappresentano quindi la perfezione dei Francescani che vanno in Paradiso.

Dunque, Francesco obbedisce a Chiara e a Silvestro, va a Savurniano, alle rondini dice di smettere di cinguettare perché lui possa parlare agli uomini, che rapiti dal pensiero espresso ora vorrebbero seguirlo, lasciare il castello. Muovendosi tra Cannara e Bevagna vede una moltitudine di uccelli, chiede ai due compagni di viaggio, i frati Masseo e Angelo, di aspettarlo: deve predicare la sua nuova parola ai fratelli uccelli. Uccelli diversi erano nel campo. Alla predicazione di Francesco altri scendono in terra, ad ascoltare e aspettare la sua benedizione prima di ripartire. La predica di Francesco agli uccelli è semplice e luminosa: lodate il Creatore per la libertà di volare, per l'armonia e l'equilibrio degli elementi che sembrano creati appositamente per la vostra vita e gioia. Gli uccelli non vanno via, Francesco li tocca con la cappa e quelli lo ascoltano, piegano i colli, li inchinano a terra, li innalzano, aprono le ali e cantano a mostrare il piacere dell'amore di Dio. Francesco fa allora per loro il segno della croce e quattro schiere si levano tra canti di gioia: una si alza rivolta a «Oriente, e l'altra inverso l'Occidente, e l'altra inverso lo Meriggio, la quarta inverso l'Aquilone». Francesco aveva saputo da Dio che il suo destino era di andare per il mondo, per salvare non solo se stesso, ma tutte le creature. Così nella croce disegnata da Francesco, il saluto e la benedizione – che sia «bene detto», che sia «detto il bene» – si compie il sogno di frate Silvestro e il rinnovamento della parola nei quattro angoli della terra.

Nel quadro VI del *Saint François d'Assise* di Olivier Messiaen a frate Masseo, corpulento e sorpreso, incredulo alle parole del piccolo Francesco, il santo racconta della sorpresa che li prenderà alla scoperta di una parola che viaggia. Il compositore Messiaen nel 1975 andrà fino in Nuova Caledonia, proprio per ascoltare il canto della gerigona, ma anche ad Assisi, per annotare il suono della capinera. Hanno un cappuccio scuro i fratelli dell'Ordine, stanno per disseminarsi ovunque. Così finisce il *Fioretto* dedicato agli uccelli: «Gli uccelli, non possedendo nessuna cosa propria in questo mondo, alla sola provvidenza di Dio commettono la lor vita».

VIII

Verso oriente

Dice il Signore: «Ecco, io vi mando come pecore in mezzo ai lupi. Siate dunque prudenti come serpenti e semplici come colombe».

MATTEO 10,16

L a Porziuncola diviene il luogo da cui partire e ripartire senza sosta, per andare nel mondo. È lì che comincia-no a organizzarsi le missioni in Italia e al di fuori dell'Italia.

In Italia Francesco comincia a predicare per le strade di Bologna, Alviano, Ascoli, Greccio, Ancona, Alessandria. È l'altra ribellione *silenziosa*. Lascia le chiese per incontrare la gente che si ritrovava sulle piazze. In chiesa la gente, o al-meno la maggioranza di essa, non comprendeva più il lati-no. Ecco allora che la piazza diviene una nuova navata e il volgare la nuova lingua.

> Francesco si leva suso nel mezzo del luogo, alto, e comin-cia a predicare quello che lo Spirito Santo gli toccava. E pre-dicava sì maravigliosamente, che parea piuttosto che pre-dicasse agnolo che uomo, e pareano le sue parole celestiali a modo che saette acute, le quali trapassavano sì il cuore di coloro che lo udivano, che in quella predica grande molti-tudine di uomini e di donne si convertirono a penitenza.[1]

Frate Egidio parte per Tunisi, frate Elia per la Siria, fra-te Pacifico per la Francia, Giordano verso la Germania. La storia di questi viaggi volti ad annunciare la buona novel-

---

[1] *Fioretti di san Francesco*, cap. XXVII.

la all'estero è una storia di sofferenze, di incomprensioni (i francescani talora vengono scambiati per eretici), di martìri. Soltanto col tempo saranno meglio organizzati e inizieranno a dare i primi risultati. In Germania, scrive Giordano da Giano:

> Penetrarono nelle contrade senza conoscere la lingua e richiesti se volessero alloggio, cibo o altre cose del genere risposero «ja» [sì]; pertanto furono accolti benevolmente da certuni. Vedendo che con la parola «ja» erano trattati bene, decisero di rispondere sempre «ja» a qualsiasi domanda. Per questo accadde che alla domanda se fossero eretici e se giungessero con l'intenzione di infettare la Germania così come avevano pervertito la Lombardia [cioè l'Italia settentrionale], risposero ancora «ja». Allora alcuni di loro furono percossi, altri incarcerati, altri spogliati e, condotti nudi in giro a dare spettacolo, coperti da insulti della folla.[2]

Nel 1212 Francesco in persona prova a raggiungere la Siria. Per una tempesta è costretto a sbarcare sulla costa dalmata per poi ritornare come clandestino – sì, come clandestino – ad Ancona. Sempre nel 1212, forse, s'imbarca verso il Marocco con l'intenzione di evangelizzare i saraceni e il loro sultano, e se necessario di andar incontro al martirio. Ma anche questo viaggio si arresta in Spagna per una grave malattia sopraggiunta.

Nel giugno 1219 Francesco prova a ripartire da Ancona verso l'Egitto. La sua idea è di vivere *tra* i musulmani, prima ancora di evangelizzarli. In un periodo di crociate armate è qualcosa di inaudito.

Nella *Regola non bollata*, capitolo XVI, *Di coloro che vanno tra i saraceni e altri infedeli*, scrive:

> Perciò tutti quei frati che per divina ispirazione vorranno andare tra i saraceni e altri infedeli, vadano con il permesso del loro ministro e servo. Il ministro poi dia loro il

---

[2] *Cronaca*, num. 5.

permesso e non li ostacoli, se vedrà che sono idonei a essere mandati; infatti sarà tenuto a rendere ragione al Signore (cfr. *Lc* 16,2) se in questo o in altre cose avrà proceduto senza discrezione. I frati poi che vanno tra gli infedeli possono comportarsi spiritualmente in mezzo a loro in due modi. Un modo è che non facciano liti né dispute, ma siano soggetti a ogni creatura umana per amore di Dio (*1 Pt* 2,13) e confessino di essere cristiani. L'altro modo è che, quando vedranno che piace a Dio, annunzino la parola di Dio perché essi credano in Dio onnipotente, Padre e Figlio e Spirito Santo, creatore di tutte le cose, e nel Figlio redentore e salvatore, e siano battezzati, e si facciano cristiani, poiché, se uno non sarà rinato dall'acqua e dallo Spirito Santo, non può entrare nel regno di Dio. (cfr. *Gv* 3,5)

«Né liti né dispute» chiedeva Francesco, affinché i frati si distinguessero dai crociati in armi; soldati che, pur in difesa dei luoghi santi, potevano compiere azioni terribili. Ma soprattutto: «Siano soggetti a ogni creatura umana». Più che l'imposizione di una religione su un'altra, Francesco chiede una soggezione alla creatura umana in quanto tale. Non la ricerca di uno scontro, ma la costruzione di un terreno comune e umano su cui far nascere un'amicizia. Soltanto in questo caso sarebbe stato eventualmente possibile un discorso non divisivo su Dio.

Questi atteggiamenti dettati da Francesco indicano due linee guida del suo pensiero: quella della *presenza* e quella della *testimonianza*. Non la strada dell'imposizione ma quella della condivisione. L'Assisiate era uomo di pace: quello che egli sognava l'ha dimostrato con la vita e in tutti i modi, raggiungendo il sultano e annunciandogli la pace del Cristo, che non è quella che dà il mondo. Non era lì solo per il sultano: vi era anche per i crociati, che avevano un estremo bisogno di esempi di vita cristiana. Presenza e testimonianza: queste le limpide linee spirituali e storiche d'un gesto che non apre la strada a fraintendimenti.

Francesco, anche in preghiera, esprime la distanza e la rottura annunciata dalla pace di Cristo. A suo uso ha scritto l'*Officium Passionis Domini*, presente nel codice 338 della Biblioteca Comunale di Assisi, custodito presso il Sacro Convento di Assisi. Il frate ha costruito il testo combinando parti dell'Antico e del Nuovo Testamento, del Messale e del Breviario di Roma, apportando modifiche lievi. Lo studioso Ezio Franceschini spiega che l'Assisiate recitava sempre l'Ufficio romano, ma prima recitava i Salmi del suo Ufficio della Passione. Si potrebbe immaginare che la forte vicinanza alla figura di Cristo spingesse Francesco a questa opzione. Tuttavia, è possibile, anzi lampante per lo stesso Franceschini, che la scelta operata da Francesco nell'*Officium Passionis Domini* sia mossa da altre intenzioni: Francesco esclude tutti passaggi dei Salmi di Davide che contengono imprecazioni e tracce di odio per i non ebrei e i nemici di Israele. Tra i Salmi davidici, comprensibili come esperienze storiche – e per Francesco la storia è stata attraversata dalla Passione –, il dolore, che è l'esperienza di Cristo, consente a Francesco di citare l'Ufficio romano e pregare alla luce del Vangelo.

Così la testimonianza francescana inizia persino a sottrarre uomini ad altri ordini religiosi, colpiti dalla dolcezza del frate di Assisi. Questo proselitismo anche tra cristiani è certo un sintomo ancora più chiaro dell'innovazione apportata da Francesco. Il Vangelo doveva evidentemente rivivere nella voce e nei gesti di Francesco in un'unità non comune, tanto più se si pensa allo sfondo su cui si stagliava. Nel pieno di una guerra, nello stridore delle armi, accanto alla forza distruttrice che portava alla morte, una forza che si ritraeva presentandosi come debolezza faceva breccia nei cuori della gente riportando una speranza per una vita nuova.

La stessa breccia che Francesco è convinto di aprire nel cuore dell'Islam. Il sultano Malik al-Kamil doveva già essere stato informato del carisma di quell'umile frate che veniva a predicare rischiando la vita per il suo Dio. Il sultano era il nipote del Saladino, nome con il quale è conosciuto in Occidente Salah al-Din, il fondatore della dinastia Ayyubide e sultano dell'Egitto e della Siria negli ultimi decenni del XII secolo. Fu lui a conquistare Gerusalemme nel 1187, ed è ricordato per essere non solo un grande condottiero ma anche un abile politico, riuscendo a raggiungere un compromesso con le forze cristiane sconfitte in Palestina.

I crociati non ce la facevano a battere il sultano d'Egitto, il saggio Malik al-Kamil nipote del Saladino. Lo avevano attaccato sul delta del Nilo, il cuore dei commerci dell'epoca, perché speravano che, pur di farsi togliere l'embargo che impediva ai suoi mercanti di condurre affari, egli avrebbe accettato di cedere pacificamente Gerusalemme.

Non si sa se autorizzato dal capo della crociata, il cardinal Pelagio, o di propria iniziativa, Francesco va a parlare col sultano. Che gli abbia parlato è sicuro: due testimonianze tra loro indipendenti lo affermano (Jacques de Vitry, all'epoca vescovo di San Giovanni d'Acri e fonte bene informata, vi accenna in diversi suoi scritti, il primo dei quali coevo ai fatti; un'epigrafe funeraria al Cairo sembra alludere all'incontro).

Che cosa si siano detti, e in che lingua, sarà per sempre un mistero.

Certo il sultano riceve Francesco con benevolenza. Ne ammira l'ardore e l'autenticità della vocazione quando l'Assisiate avrebbe proposto ai musulmani la celebre ordalia del fuoco. Un vero e proprio *iudicium Dei*, di quelli radicati in antiche consuetudini di origine germanica e in uso nel diritto medievale.

La Chiesa, che in genere guardava con ostilità a queste superstizioni barbariche, proibì formalmente le ordalie nel Concilio Lateranense del 1215: ma simili usi sopravvissero a lungo a livello folklorico. Francesco aveva senza dubbio familiarità con questo profondo patrimonio che oggi noi studiamo con attenzione all'ambito antropologico.

Secondo studi recenti si è ipotizzato che, con quella sfida, Francesco avrebbe voluto rispondere all'Islam riscattando una pagina narrata in un *hadith* (un racconto biografico di tipo canonico nell'Islam sunnita) secondo il quale

Maometto avrebbe invitato i cristiani (probabilmente nesto-riani) di Najran, una prospera città dello Yemen, a prova-re con la *mubaahala*, l'ordalia del fuoco, la bontà della loro fede nei confronti dell'Islam stesso e dell'ebraismo. Il ri-fiuto di affrontare le fiamme sarebbe stato la causa fonda-mentale della sparizione di quella comunità, i membri del-la quale si sarebbero convertiti all'Islam.

Che Francesco fosse o meno a conoscenza di questa sto-ria, resta ancora più difficile da credere del fatto che la pro-va fosse stata davvero allestita, almeno così come la rap-presenta Giotto negli affreschi della Basilica superiore. È più verosimile che la sfida fosse stata soltanto proposta da Francesco e che il sultano, temendo un'eventuale sconfitta e la conseguente rivolta del suo popolo, gli avrebbe offer-to dei doni chiedendogli di rinunciare.

In ogni caso la pace non arrivò.

Forse il sultano l'avrebbe anche fatta. Come la fece, una decina di anni dopo, con l'imperatore Federico II, anche lui venuto a far la crociata, ma che di combattere non ave-va granché voglia. Al tempo della crociata di Francesco, il cardinale legato non volle sentir ragioni: gli infedeli anda-vano piegati con la spada. E invece quella crociata fu un fallimento.

Resta comunque il mistero sul discorso tra Francesco e il sultano.

Si può giurare che non fosse né politico né diplomatico: Francesco pare non avesse ricevuto alcun mandato dai capi della crociata, anzi forse il legato pontificio cardinal Pelagio ne diffidava; né il sultano avrebbe accettato di trattare di cose diplomatiche e politiche con un povero uomo di Dio.

Ma allora, di che parlarono? Di Dio, appunto. Del Dio onnipotente, ch'è Allah clemente e misericordioso. Del Dio comune di ebrei, di cristiani e di musulmani. E di quel che Francesco, tornato in Italia, cercò di precisare nella sua *Regula* a proposito dei frati che vanno tra gli infedeli. Non at-taccare nessuno, non polemizzare, ma restare umili e riser-vati testimoniando Gesù Cristo. Questa non è diplomazia, è misericordia. D'altronde, una diplomazia senza misericordia – che astragga cioè dai bisogni, dai desideri, dalle passioni dell'interlocutore – è solo tattica, se non inganno e malafede. Forse, quanto meno in una certa misura, il mondo d'oggi va tanto male proprio perché la diplomazia astrae sempre dalla misericordia.

IX

Natale a Greccio

La casa del povero è come un tabernacolo
L'eterno vi diventa cibo
[...]
La casa del povero è come la mano di un bimbo.
Come la terra è la casa del povero.

RAINER MARIA RILKE

«Pace in terra agli uomini di buona volontà.»
(*Lc* 2,14)

SAN FRANCESCO, *Preghiera per il Vespro di Natale*

È di Francesco l'idea di rievocare la nascita di Cristo. Secondo Bonaventura, Francesco avrebbe chiesto al papa di poterla realizzare. Così sceglie Greccio, perché gli ricorda Betlemme.

Chiama a sé Giovanni, un uomo della contrada di Greccio, e gli dice: «Se vuoi che celebriamo a Greccio il Natale di Gesù, precedimi e prepara quanto ti dico: vorrei rappresentare il Bambino nato a Betlemme, e in qualche modo vedere con gli occhi del corpo i disagi in cui si è trovato per la mancanza delle cose necessarie a un neonato, come fu adagiato in una greppia e come giaceva sul fieno tra il bue e l'asinello».[1]

Così, il 25 dicembre 1223, viene messa in scena, per la prima volta nella storia, la nascita di Gesù Bambino in una grotta, con il bue e l'asinello. I due animali sono un'aggiun-

---

[1] Tommaso da Celano, *Vita prima*, num. 84.

66

ta dei Vangeli apocrifi, ma Francesco ritenne indispensabile la loro presenza per la sua messa in scena.

È «la festa delle feste», il Natale, «il giorno della letizia, il giorno dell'esultanza» scrive Tommaso da Celano. Se da giovane – quando era ancora «una specie di playboy», come ha ricordato papa Benedetto XVI – aveva frequentato il mondo allegro e spensierato dei banchetti, ora Francesco riconosce il senso autentico della festa nella sacralità dell'Incarnazione.

Non è difficile immaginare lo stupore e il senso di partecipazione a questa rappresentazione, mentre i frati accorsi intonano le lodi al Signore. Uomini e donne arrivano festanti dai casolari della regione portando, ciascuno secondo le proprie possibilità, ceri e fiaccole per illuminare quella notte, nella quale s'accese splendida nel cielo la Stella che illuminò tutti i giorni e i tempi.

Francesco canta e predica ispirato, mentre con dolcezza rievoca il mistero della nascita del figlio di Dio in un luogo così povero e umile, in una mangiatoia tra un bue e un asinello. Il linguaggio che Francesco adopera non è diverso dagli spettacoli mimici improvvisati, e predicati, ai nobili signori di San Leo, al popolo di Bologna, alle Povere Dame di San Damiano quando con la cenere mette in scena una vera e propria azione teatrale; non è dissimile, afferma Franco Cardini, dal Francesco che al cospetto dei briganti si proclama l'araldo del Gran Re o che paragona i suoi frati ai cavalieri della Tavola Rotonda. O quando si getta nella neve per vincere le tentazioni, quando fa predicare nudo fra Rufino. Infine, quando in questo caso prolunga in tono onomatopeico la parola «Bethlehem», da imitare il belare delle pecorelle.

Ciò che è stato celebrato a Greccio fu più che una rappresentazione sacra. Insieme alla santa messa divenne una celebrazione liturgica quasi drammatica, il cui elemento principale non è la semplice rappresentazione di un evento, ma l'attualizzazione e la rivitalizzazione di un mistero di fede. Il mistero dell'Incarnazione, di un Dio che si fa uomo stentando a trovare persino il luogo per nascere, ci ricorda il divino che nasce da ciò che rischia di non esser visto, tra gli ultimi, i dimenticati.

Dopo tanti viaggi nell'oltremare, Francesco capisce che per chi ha fede Betlemme può essere ovunque, *deve* poter essere ovunque. È per questa esistenza che bisogna continuare a lottare. Questa intuizione comporta una grande rottura con la tradizione dei pellegrinaggi religiosi che avevano un costo sostenibile soltanto da pochi. È una rivoluzione, perché anche i più poveri possono sentirsi a Betlemme senza sentirsi discriminati dal non poter raggiungere i luoghi sacri.

Tommaso da Celano chiude la prima parte della sua biografia di Francesco con l'effetto suscitato dal teatro sacro di Greccio: «Una consolazione mai provata prima» scrive ammirato.

Un taglio significativo, una sospensione imposta al lettore che sottolinea il significato della venuta di Cristo. Come un gioco di specchi che vuole suggerire ancora una volta la fede che Francesco provava per Cristo, per il senso della sua incarnazione, il suo essere qui e ora.

Francesco ci dice che, se non avesse conosciuto il Cristo e seguito le sue orme, «Dio» sarebbe stato un vocabolo vuoto di senso. Scrive François Mauriac: «Il Dio dei filosofi e degli eruditi non avrebbe occupato nessun posto nella mia vita morale. C'è stato bisogno che Dio s'immergesse nell'umanità e che a un preciso momento della storia, sopra un determinato punto del globo, un essere umano, fatto di carne e di sangue, pronunciasse certe parole, compisse certi atti, perché io mi gettassi in ginocchio. Se il Cristo non avesse detto: "Padre Nostro", io non avrei mai avuto da me stesso il senso di questa filiazione, questa invocazione non sarebbe mai salita dal mio cuore alle mie labbra».

X

La grande tentazione

O alto e glorioso Dio,
illumina le tenebre de lo core mio.
E damme fede dritta,
speranza certa e caritade perfetta,
senno e cognoscimento, Signore,
che io faccia lo tuo santo e verace comandamento.
Amen.

SAN FRANCESCO, *Preghiera davanti al Crocifisso*

A partire dal 1223 si apre il periodo che alcuni biografi chiamano della «grande tentazione». Il Natale di Greccio era stato sicuramente un momento felice in anni, gli ultimi della vita di Francesco, caratterizzati dal deteriorarsi della salute fisica (cominciava a soffrire allo stomaco, alla milza, al fegato e aveva contratto un tracoma agli occhi). Ma il problema non era solo la malattia del corpo: era l'anima a conoscere un'angoscia mai provata prima. Francesco fu fortemente tentato di abbandonare tutto. Le liti tra i frati e la difficoltà nel tenere unita la comunità secondo la forma di vita originaria lo demoralizzavano.

Una volta tutti i frati osservavano con impegno la santa povertà in ogni cosa: negli edifici piccoli e miseri, negli utensili pochi e rozzi, nei libri scarsi e poveri, nei vestiti da pezzenti. In questo, come in tutto il loro comportamento esteriore, erano concordi nello stesso volere, solleciti nell'osservare tutto ciò che riguarda la nostra professione e vocazione e buon esempio; unanimi erano nell'amare Dio e il prossimo. Ma da poco tempo in qua, questa purezza e perfezione ha cominciato ad alterarsi, anche se i frati dicono, per scusarsi, che non si può osservare questo ideale per la moltitudine dei frati stessi.[1]

Francesco però si rifiuta di punire i frati che deviano, rifiuta la figura di giudice in coerenza con la sua linea del buon esempio: «Fino al giorno della mia morte, con l'esempio, non smetterò d'insegnare ai fratelli che camminino per la via indicatami dal Signore e che ho mostrato loro, l'ideale a cui li ho formati, in modo che siano inescusabili dinanzi al Signore, e che non mi tocchi rendere conto al Signore di loro e di me». Così come si opponeva alle regole di san Benedetto, sant'Agostino e san Bernardo, che gli venivano proposte come un modello più praticabile: «Il Signore mi disse che voleva che io fossi un novello pazzo nel mondo; questa è la scienza alla quale Dio vuole ci dedichiamo! Egli vi confonderà per mezzo della stessa sapienza e scienza!».[2]

Un altro testo che conferma l'importanza e la necessità dell'esemplarità della propria vita è tratto dal seguente dialogo che mette in luce la sua acutezza e la sua intelligenza:

> Mentre dimorava presso Siena, vi capitò un frate dell'Ordine dei predicatori, uomo spirituale e dottore in sacra teologia. Venne dunque a far visita al beato Francesco e si trattennero a lungo insieme, lui e il Santo in dolcissima conversazione sulle parole del Signore.
>
> Poi il maestro lo interrogò su quel detto di Ezechiele: Se non manifesterai all'empio la sua empietà, domanderò conto a te della sua anima. Gli disse: «Io stesso, buon padre, conosco molti ai quali non sempre manifesto la loro empietà, pur sapendo che sono in peccato mortale. Forse che sarà chiesto conto a me delle loro anime?».
>
> E poiché Francesco si diceva ignorante e perciò degno più di essere da lui istruito, che di rispondere sopra una sentenza della Scrittura, il dottore aggiunse umilmente: «Fra-

---

[1] *Compilazione di Assisi*, num. 106.
[2] *Compilazione di Assisi*, num. 18.

tello, anche se ho sentito alcuni dotti esporre questo passo, tuttavia volentieri gradirei a questo riguardo il tuo parere».

«Se la frase va presa in senso generico,» rispose Francesco «io la intendo così: Il servo di Dio deve avere in se stesso tale ardore di santità di vita, da rimproverare tutti gli empi con la luce dell'esempio e l'eloquenza della sua condotta. Così, ripeto, lo splendore della sua vita ed il buon odore della sua fama, renderanno manifesta a tutti la loro iniquità.»

Il dottore rimase molto edificato per questa interpretazione, e mentre se ne partiva, disse ai compagni di Francesco: «Fratelli miei, la teologia di questo uomo, sorretta dalla purezza e dalla contemplazione, vola come aquila. La nostra scienza invece striscia terra terra».[3]

Negli ultimi anni gli scontri finirono per accrescersi e acuirsi. Molti chiedevano un adattamento alle nuove esigenze, una maggiore libertà nell'azione pastorale, fin quasi a entrare in competizione con il clero, e auspicavano una richiesta di privilegi presso la sede apostolica. Il sogno di Francesco rischiava di essere ridimensionato in nome di un compromesso con la legge. Di qui la frustrazione, la chiusura, le parole talvolta dure e aspre rivolte ai frati. L'immagine dell'uomo sempre lieto viene coperta da ombre.

Quella malinconia che Francesco aveva strenuamente combattuto in tutte le sue forme sembrava aver riacquistato una forza demoniaca. Tornano di continuo nelle fonti i moniti del Poverello verso chi rischiava di indulgere in passioni tristi: «Il servo di Dio non deve mostrarsi agli altri triste e rabbuiato, ma sempre sereno. Ai tuoi peccati, riflettici nella tua stanza e alla presenza di Dio piangi e gemi. Ma quando ritorni tra i frati, lascia la tristezza e conformati agli altri».[4] E ancora: «Si guardino i frati di non mostrarsi tristi di fuori e rannuvolati come degli ipocriti, ma si mostrino lieti nel Signore, ilari e convenientemente graziosi».[5]

[3] Tommaso da Celano, *Vita seconda*, num. 69
[4] Tommaso da Celano, *Vita seconda*, num. 128.
[5] Tommaso da Celano, *Vita seconda*, num. 128.

Il volto ilare, che aveva costituito l'interpretazione tipicamente francescana della Parola, si adombrava nelle alture della Verna. Nella solitudine dei boschi forse Francesco fu travagliato dai dubbi, e come Cristo sulla croce dovette sentirsi abbandonato. Ma dalla mancanza può nascere ciò che salva, scriveva un grande poeta tedesco, Hölderlin. E Francesco ritroverà nelle ombre la luce, la parola e il canto.

Un grande poeta italiano del secolo scorso, Dino Campana, volle seguire le tracce di Francesco, proprio lì dove rischiò di perdersi senza trovare la via del ritorno, tra le «altezze mistiche della Verna». Sul suo diario si trovano queste parole: «Il santo appare come l'ombra di Cristo, rassegnata, nata in terra d'umanesimo, che accetta il suo destino nella solitudine. La sua rinuncia è semplice e dolce: dalla sua solitudine intona il canto alla natura con fede: Frate Sole, Suor Acqua, Frate Lupo. Un caro santo italiano».

Un testo che manifesta il sentire profondo di Francesco è la lettera a un ministro che rivela il suo cuore e la sua personalità e al contempo è anche una silenziosa denuncia verso i frati che si erano allontanati dallo spirito primordiale e rimanevano impantanati in liti e attriti. Ma anche verso metodi e mezzi che lui, forse, non avrebbe voluto accettare. Celebre è l'affermazione di Pietro il Venerabile che aveva rimproverato Bernardo di Clairvaux e gli aristocratici ascetici cistercensi: «Voi condite i vostri legumi con un po' d'olio e con tanta superbia». Il cavaliere di Cristo non vuole coniugare l'ascesi con la superbia bensì la misericordia con l'uomo. La conseguenza? Parole «nuove» come il Vangelo in un testo che per la sua profondità e «altezza» può considerarsi tra i più belli della spiritualità francescana: Francesco scrive a un responsabile di una comunità che si trova a fare i conti con delle lotte intestine e gli chiede di vivere non insieme agli altri ma in un eremo.

A frate N... ministro, il Signore ti benedica (cfr. *Nm* 6,24a).
Io ti dico come posso, per quello che riguarda la tua anima, che quelle cose che ti impediscono di amare il Signore Id-

dio, ed ogni persona che ti sarà di ostacolo, siano frati o altri, anche se ti percuotessero, tutto questo devi ritenere come una grazia. E così tu devi volere e non diversamente. E questo tieni per te in conto di vera obbedienza [da parte] del Signore Iddio e mia, perché io so con certezza che questa è vera obbedienza. E ama coloro che ti fanno queste cose. E non aspettarti da loro altro, se non ciò che il Signore ti darà. E in questo amali, e non pretendere che siano cristiani migliori. E questo sia per te più che il romitorio.

E in questo voglio conoscere se tu ami il Signore ed ami me servo suo e tuo, se farai questo, e cioè che non ci sia alcun frate al mondo che abbia peccato quanto poteva peccare, il quale, dopo aver visto i tuoi occhi, se ne torni via senza il tuo perdono misericordioso, se egli lo chiede; e se non chiedesse misericordia, chiedi tu a lui se vuole misericordia. E se in seguito mille volte peccasse davanti ai tuoi occhi, amalo più di me per questo, che tu possa attirarlo al Signore; ed abbi sempre misericordia di tali fratelli. E notifica ai guardiani, quando potrai, che da parte tua sei deciso a fare così.

Riguardo poi a tutti i capitoli che si trovano nella Regola, che parlano dei peccati mortali, nel capitolo di Pentecoste, con l'aiuto del Signore e il consiglio dei frati, ne faremo un solo capitolo di questo tenore: Se qualcuno dei frati per istigazione del nemico avrà peccato mortalmente, sia tenuto per obbedienza a ricorrere al suo guardiano. E tutti i frati che fossero a conoscenza del suo peccato, non gli facciano vergogna né dicano male di lui, ma abbiano grande misericordia verso di lui e tengano assai segreto il peccato del loro fratello, perché non i sani hanno bisogno del medico, ma i malati (*Mt* 9,12; cfr. *Mc* 2,17). E similmente per obbedienza siano tenuti a mandarlo con un compagno dal suo custode. Lo stesso custode poi provveda misericordiosamente a lui, come vorrebbe si provvedesse a lui medesimo, se si trovasse in un caso simile. E se fosse caduto in qualche peccato veniale, si confessi ad un suo fratello sacerdote. E se lì non ci fosse un sacerdote, si confessi ad un suo fratello, fino a che avrà a disposizione un sacerdote che lo assolva canonicamente, come è stato detto. E questi non abbia potere di imporre altra penitenza all'infuori di questa: Va' e non peccare più! (cfr. *Gv* 8,11).

Questo scritto, affinché sia meglio osservato, tienilo con te fino al [Capitolo di] Pentecoste; là sarai presente con i tuoi frati. E queste e tutte le altre cose che non figurano nella *Regola*, con l'aiuto del Signore Iddio sarà vostra cura di adempierle.[6]

Se dovessimo comunque evidenziare il motivo della grande tentazione e delle difficoltà, potremmo esprimerlo attraverso il sogno che Tommaso da Celano racconta nel *Memoriale*:

> Mentre rivolgeva questi e simili pensieri nella sua mente, una notte, nel sonno, ebbe questa visione. Vide una gallina piccola e nera, simile a una colomba domestica, con zampe e piedi rivestiti di piume. Aveva moltissimi pulcini, che per quanto si aggirassero attorno a lei, non riuscivano a raccogliersi tutti sotto le sue ali. Quando si svegliò, l'uomo di Dio, e riprese i suoi pensieri, spiegò personalmente la visione. «La gallina, commentò, sono io, piccolo di statura e di carnagione scura, e debbo unire alla innocenza della vita una semplicità di colomba: virtù, che quanto è più rara nel mondo, tanto più speditamente si alza al cielo. I pulcini sono i frati, cresciuti in numero e grazia, che la forza di Francesco non riesce a proteggere dal turbamento degli uomini e dagli attacchi delle lingue maligne».

A quali turbamenti fa riferimento Francesco?

Nell'estate del 1220 Francesco, di rientro dal Marocco, va in visita da papa Onorio III per ripristinare la fiducia di fronte alle grandi correnti che emergevano dalla fraternità: quella che desiderava una vita scandita dalle regole e vicina allo stile monastico del tempo; l'altra, diametralmente opposta, capeggiata da Giovanni da Campello che scelse di uscire dall'ordine per fondarne uno nuovo. Se questo era il motivo della visita al papa non mancano momenti spiacevoli.

Passando per Bologna scopre che alcuni compagni si erano costruiti una bella casa in muratura. Senza neanche vederla, il Santo comanda seccamente a tutti i frati di lasciarla e non bastano le rassicurazioni del cardinale Ugolino, che

---

[6] San Francesco, *Lettera a un ministro*.

sostiene di essere proprietario dell'abitazione. La testimonianza di questo episodio è raccontata dal frate infermo che alloggiava lì: i frati lasciano la casa e anche gli ammalati vengono messi fuori.

Sulla stessa scia l'episodio ad Assisi dei frati che, con l'aiuto del Comune, avevano trasformato le capanne di paglia, legno e fango, in un edificio in muratura. È nota la scenata di Francesco che sale sul tetto, con i fedelissimi, e comincia a distruggerlo. Come a Bologna, le giustificazioni sono di carattere «legale»: non è possibile demolire abitazioni di proprietà comunale. Il Santo, troppo debole per opporsi, interrompe l'opera di demolizione.

Se i primi motivi si riferiscono alle cose materiali e al loro possesso, i secondi riguardano l'organizzazione dell'Ordine. Infatti Onorio III con la bolla *Cum secundum consilium*, del 22 settembre 1220, ordina un anno di noviziato obbligatorio per tutti coloro che desiderano unirsi alla fraternità, dopo l'esperienza del postulato. La *Cronaca* del francescano Giordano da Giano, infatti, denunciava immaturità, approssimazione, improvvisazione e leggerezza da parte di non pochi frati. Francesco, che viveva la sua vocazione in modo spontaneo e generoso, ne è deluso e, col pretesto della scarsa salute, dà le dimissioni nel corso del capitolo generale alla Porziuncola, a cui era presente anche il cardinale Ugolino, e affida la guida del neonato Ordine all'amico Pietro Cattani, anche se rimarrà sempre il faro spirituale per tutti.

Altra grande questione che si trova ad affrontare è la revoca del privilegio apostolico di frate Filippo, a cui aveva affidato la cura di Chiara e delle Povere Dame, che l'autorizzava a proteggere le religiose e a scomunicare i loro detrattori.

Quelle descritte sono le difficoltà di ieri, in modo diverso anche di oggi, forse di sempre. L'unica strada per tutti coloro che sognano un vissuto diverso, nella fraternità francescana, nella società civile, nell'impegno politico come in quello lavorativo, rimane quella percorsa, vissuta e indicata dal Santo di Assisi, quella del proprio esempio, della propria testimonianza. Vero lievito che fermenta ogni cosa.

XI

Cantico di frate Sole

Altissimu, onnipotente, bon Signore,
tue so' le laude, la gloria e l'honore et onne benedizione.
Ad te solo, Altissimo, se konfano,
et nullu homo ène dignu Te mentovare.

Laudato sie, mi' Signore, cum tucte le tue creature,
spezialmente messor lo frate Sole,
lo qual è iorno, et allumini noi per lui.
Et ellu è bellu e radiante cum grande splendore:
de te, Altissimo, porta significatione.

Francesco detta il *Cantico* in un volgare umbro, scevro dai tratti più fortemente dialettali, fra il 1225 e il 1226. È la rivoluzione del linguaggio.

Perduta la musica del testo. Unica traccia un rigo musicale su tre linee, purtroppo senza note, del codice 338 conservato nel Fondo antico della Biblioteca Comunale di Assisi al Sacro Convento, della metà del XIII secolo. Era un testo da cantare, Francesco doveva probabilmente cantarlo e i frati stessi eseguivano la lode in pubblico.

Il 1225 è momento centrale per la composizione del *Cantico*. Tommaso da Celano nella *Vita seconda* afferma che il testo è collegato a una visione celeste che al santo prometteva eterna salvezza, proprio in una notte di violente sofferenze del corpo.

Al 1225 lo fanno risalire lo *Specchio di perfezione* e la *Compilazione di Assisi*, ma limitatamente alla prima parte del *Cantico*, quella che giunge fino al verso 22.

Lunga era la tradizione dei salmi di lode a Dio. Il testo, ricordato come la prima opera della letteratura volgare italiana, ci consegna uno spaccato della vita dell'Ordine di tipo aurorale, di luce che cresce. Francesco, secondo diverse compilazioni agiografiche, avrebbe dato a questo testo il titolo di *Canticum*: i *cantica* erano gli inni biblici di lode a Dio. Nella prima delle ore canoniche i frati scandivano un canto, erano appunto le *Laudes*, la preghiera del mattino che si recitava circa un'ora dopo l'alba.

La prima parte del *Cantico* si espande in un'ampia, gioiosa ma anche serena contemplazione della natura, bella, utile, preziosa. Non è un canto sulla bellezza della natura, e certamente non lo è in senso naturalistico. La sensibilità ambientale dei nostri giorni equivoca e attualizza in modo fuorviante il significato teologico e spirituale della natura per Francesco.

La natura è lodata perché specchio del Creatore, secondo il senso paolino per cui a noi uomini è interdetta una visione diretta, mistica di Dio («*Videmus nunc per speculum in aenigmate*»).

«Laudato si', mi' Signore, *per* sora Luna e le stelle.» «Per», in molti casi nel testo, vale qui «attraverso», non «a causa di». Attraverso le lodi delle creature – che sono «tue lodi», lodi del Signore – il *Cantico* può a sua volta assumere la forma di una lode, fare coro. Infatti solo Dio può lodarsi in modo adeguato. E noi possiamo lodarlo attraverso la sua immagine riflessa nel creato: poiché l'uomo di per sé non è degno di lodare Dio né di essere lodato naturalmente. Il peccato originale segna la natura umana; e possiamo lodarla solo «per quelli ke perdonano per lo tuo amore, et sostengono infirmitate et tribulatione». Possiamo lodare *attraverso* il perdono perché il perdono non è una mera capacità dell'individuo, ma è tale solo in forza di una grazia che lo trascende. Chi perdona, perdona «per lo tuo amore». In questo «per» si consuma il valore di un attraversamento, la figura di Cristo.

Un passo di Bonaventura chiarisce bene come intendere la bellezza del creato: «Per trarre da ogni cosa incitamento ad amare Dio, esultava per tutte quante le opere delle mani del Signore e, da quello spettacolo di gioia, risaliva alla Causa e Ragione che tutto fa vivere. Contemplava, nelle cose belle, il Bellissimo e, seguendo le orme impresse nelle creature, inseguiva dovunque il Diletto. Di tutte le cose si faceva una scala per salire ad afferrare Colui che è tutto desiderabile».[1] Chiarisce anche come intendere la vita concreta che rispetta i ritmi della natura. Così Tommaso da Celano nella *Vita seconda* racconta: «Quando i frati tagliano la legna, proibisce loro di recidere del tutto l'albero, perché possa gettare nuovi germogli. E ordina che l'ortolano lasci incolti i confini attorno all'orto, affinché a suo tempo il verde delle erbe e lo splendore dei fiori cantino quanto è bello il Padre di tutto il creato. Vuole pure che nell'orto un'aiuola sia riservata alle erbe odorose e che producono fiori, perché richiamino a chi li osserva il ricordo della soavità eterna».[2]

La novità di Francesco, che lo distanzia dai movimenti pauperistici presenti nella sua epoca, sta nella percezione della bellezza che la natura emana perché creata da Dio. L'ascetismo, anche il più ortodosso, fino ai movimenti ereticali contemporanei a Francesco, rifiutava il mondo terreno e non poteva giungere ad abbracciare tutti gli aspetti del creato. Nelle *Lodi* di Francesco la materia solleva il corpo per volgersi a Dio. Così l'uomo solleva se stesso e il mondo con tutte le sue bellezze, malattie, sofferenze che diventano prova, non solo espressione, dell'amore divino.

Un filo d'erba conduceva a un prato, questo a degli alberi la cui ombra rendeva l'aria mite, uccelli svolazzavano cantando armoniosamente sui rami per poi spiccare il volo nell'immensità del cielo. Le opere riconducevano come una scala invisibile alla mano del Creatore, nelle cose belle si poteva dunque scorgere il Bellissimo.

---

[1] Bonaventura, *Leggenda maggiore* IX, 1.
[2] Tommaso da Celano, *Vita seconda*, num. 165.

Ha scritto Emily Dickinson, in una lirica dal timbro francescano:

> Per fare un prato occorrono un trifoglio ed un'ape,
> un trifoglio ed un'ape
> e il sogno!
> Il sogno può bastare
> Se le api sono poche.

Così la contemplazione della bellezza del creato non sarebbe nulla senza l'espansione di questa bellezza al cuore umano. «Non c'è da meravigliarsi: come la pietà del cuore lo aveva reso fratello di tutte le altre creature, così la carità di Cristo lo rendeva ancor più intensamente fratello di coloro che portano in sé l'immagine del Creatore e sono stati *redenti dal sangue del* Redentore. Non si riteneva amico di Cristo, se non curava con amore le anime da Lui redente.»[3]

I versi 23-26 sono detti la «strofa del perdono». Secondo la tradizione che vuole il testo come risultato di una composizione in tre tempi, i versi sarebbero stati dettati dal ruolo che Francesco ebbe nel risanamento di una discordia tra il podestà e il vescovo di Assisi. Il riferimento alle infermità e sofferenze sembra avere un ricalco nelle parole che Francesco invia alle Povere Dame di San Damiano.

Parimenti, i versi 27-32 costituiscono la «strofa della morte», conclusione che dovrebbe risalire ai momenti che hanno preceduto la morte del santo, nel 1226. Parte della critica tende a escludere una stesura tripartita. In ogni caso, evidente è l'ispirazione unitaria: l'armonia del mondo che è armonia di Dio e cardine dell'ispirazione francescana. Attraverso l'accettazione di ciò che da Dio proviene, «onne tempo», dunque luce radiosa e vento e nuvole e malattia e dolore e morte, si chiarisce il senso dell'unità, ordine che rivela e si compie, come la terra e le creature mostrano.

---

[3] Bonaventura, *Leggenda maggiore* IX.

La morte, infine. Una lode della morte così non si era mai sentita. È vero che Francesco parla della morte del corpo, «sora nostra morte corporale», lodata solo in quanto possibilità della resurrezione, «di una morte secunda che no 'l farrà male». È vero che non vale per la morte di tutti gli uomini («guai a quelli ke morrano ne le peccata mortali»), ma per gli uomini buoni («beati quelli ke trovarà ne le tue santissime voluntati»).

Resta però che una lode della morte con questo timbro era qualcosa di inaudito nel Medioevo. La morte non è più vista come nemica ma come sorella. È lo scacco alla morte del Poverello che si avvicina alla punta massima della vita e spalanca l'entrata all'abbraccio più bello che l'uomo desidera: l'abbraccio con il Padre dell'eternità.

Francesco dimostra, con il *Cantico di frate Sole*, di essere figlio del suo tempo e di un'area geografica, quella dell'attuale Italia centrale, in cui religiosità popolare e magia si intrecciano. Ma nessuna confusione deve nascere tra l'atteggiamento di Francesco dinanzi alla natura e posizioni panteistiche, come nessun equivoco può sussistere tra componenti magiche del tempo e la sua personalità. Potremmo fare numerosi esempi fra i tratti religiosi e folkloristici che sembrano avvicendarsi nei gesti del santo, come quando scrive la *Benedizione a frate Leone*, assediato da una tentazione, che tanto somiglia a quel «breve» (la striscia di carta in cui veniva scritta una formula magica da portare addosso e che preservava dai pericoli); oppure nell'ordalia davanti al sultano, quando parla con gli animali, o ancora nei nodi alla corda con cui si cingeva la vita a richiamare le vecchie promesse; infine, l'apertura a caso del Vangelo, denominata *Sortes Apostolorum*, per scorgervi la volontà di Dio, una superstizione popolare proibita dalla Chiesa ma che spesso ritroviamo in Francesco: fece lo stesso, per esempio, agli inizi della sua vocazione. Sono tutti riti che la Chiesa del tempo condannava.

Una cosa è certa, molti elementi si somigliano sotto il

profilo morfologico, come l'incantesimo e la preghiera; basti leggere le parole a «Fratello Fuoco» dettate prima della cauterizzazione dalla mascella al sopracciglio, dovuta al tracoma che lo tormentava negli ultimi anni della sua vita: «Fratello mio Fuoco, nobile e utile tra le creature dell'Altissimo, sii cortese con me in quest'ora. Io ti ho sempre amato e ancor di più ti amerò per amore di quel Signore che ti ha creato. E prego il nostro creatore che tempri il tuo ardore, in modo che io possa sopportarlo».[4]

Il presupposto da cui parte tale questione è completamente diverso e inconciliabile. Il *rex iuvenum* fonda il suo agire sul «*fiat voluntas Tua*» che è premessa a tutto e a tutti. Mentre il presupposto del rito magico o superstizioso è ricorso al «*fiat voluntas mea*» che in Francesco non compare in virtù del suo credere in un Dio unico, Creatore e Signore della natura, onnipotente e assolutamente giusto e buono. Nessuna ambiguità, scrive Cardini: quelle di Francesco sono sempre e soltanto preghiere.

Preghiere che partono dalla terra e arrivano al cuore di Dio.

Dovremmo cercare l'Assisiate non tanto nelle cime della spiritualità, piuttosto nelle profondità della materia che ama e loda. Non dovremmo più chiederci cosa sia la santità ma cosa sia la «materia», in che modo la viviamo e la amiamo. La santità, quindi, non sarà un'aureola irraggiungibile ma una strada percorribile: la strada della vita quotidiana.

---

[4] Tommaso da Celano, *Vita seconda*, num. 752.

XII

La morte che non fa male

Sono stato crocifisso con Cristo e non sono più io
che vivo, ma Cristo che vive in me. Questa fede nella carne io la vivo nella fede del figlio di Dio, che
mi ha amato e ha dato la vita per me.

PAOLO DI TARSO, Lettera ai Galati 2,20

L e stimmate segnano Francesco nel 1224. Tommaso da
Celano scrive che Francesco si ritira sulla Verna. Nell'a-
gosto 1224 vi era giunto per dedicare quaranta giorni di silenzio e solitudine alla Vergine Maria e a san Michele Arcan-
gelo, almeno secondo quanto appunta frate Leone. L'Ordine
era cresciuto e i dissidi interni ponevano a Francesco non
pochi dubbi su quale sarebbe stato il futuro dei suoi fratelli: si spostavano i fulcri di obbedienza e povertà che avevano costruito il nucleo originario.

Bonaventura da Bagnoregio, nella *Leggenda maggiore*, col-
loca l'evento nei giorni che precedono la festa dell'Esaltazione della Croce. Qui fece aprire per tre volte il Vangelo e per
tre volte il testo si aprì sulle pagine della Passione. Secondo
Tommaso da Celano il Vangelo si aprì invece sulla predi-
zione della Passione, il passo di Luca in cui Gesù, sul Monte degli Ulivi, in stato di angoscia si rivolge al Padre e stil-
la gocce di sudore che si tramutano in sangue (*Lc* 22,43-45).

Un mattino, mentre pregava, Francesco ricevette in visione un serafino, l'angelo più vicino a Dio, eccellente in calo-
re e ardore: tra le sei ali una croce e un uomo su di essa. Il
volto di Cristo è nella croce e nel serafino, la compassione si
manifesta e diventa carne, ma vi è anche la profonda gioia
per la presenza del serafino: «Stava per essere trasformato

tutto nel ritratto visibile di Cristo Gesù crocifisso, non mediante il martirio della carne, ma mediante l'incendio dello spirito».[1] Nelle mani e nei piedi appaiono i segni di chiodi che sporgono, con capocchie rotonde e scure, le punte piegate all'indietro come se fossero state ribattute. Una ferita ha lasciato una cicatrice rossa nel costato destro, quasi fosse stato trapassato da una lancia.

L'inizio della sua avventura si era aperta con molti frati; la stimmatizzazione lo vede con il solo frate Leone al quale riserverà una delle benedizioni più belle e oggi tra le più popolari: «Ti benedica il Signore e ti custodisca, mostri a te il suo volto e abbia misericordia di te. Rivolga il suo volto verso di te e ti dia pace. Il Signore benedica te, frate Leone». Sul retro la «pecorella di Dio» – così veniva chiamato dagli altri compagni a causa del suo volto allungato – annota: «Il beato Francesco scrisse di suo pugno questa benedizione per me frate Leone. Allo stesso modo fece lui, di sua mano, il segno del Tau con la sua base».

Bonaventura nella *Leggenda maggiore* racconta che il corpo fu scortato da innumerevoli fedeli dalla Porziuncola, dove Francesco aveva chiesto di stare nel ventennale della sua nuova vita, a San Damiano, dove poterono salutare il corpo le sorelle povere e Chiara.

Questa volta non fu come a Siena qualche anno prima, dove Francesco rischiò di morire, dettando bellissime parole come testamento: che i frati «in ossequio alla mia memoria, alla benedizione e al testamento, sempre si amino tra loro come io li ho amati e li amo; sempre amino e osservino nostra signora la santa povertà; e sempre siano fedeli sudditi dei prelati e chierici della santa madre Chiesa».

Francesco nascose le stimmate e frate Elia, dopo la morte dell'Assisiate, inviò una sorta di «lettera circolare» comunicando ai suoi fratelli il prodigio.

Nel 1228 papa Gregorio IX si recò ad Assisi per presiedere

---

[1] Bonaventura, *Leggenda maggiore* XIII, 3.

personalmente alla cerimonia che avrebbe iscritto Francesco nell'albo dei santi. Del 19 luglio è la bolla di canonizzazione *Mira circa nos*. Lo stesso papa però sancirà la veridicità delle stimmate, neanche citate nella bolla del 1228, solo in tre bolle dell'11 aprile 1237. Una di queste era indirizzata ai frati Predicatori. Non a caso, perché i membri dell'Ordine di san Domenico avevano espresso in precedenza forti dubbi sulla veridicità delle stimmate francescane.

Francesco sembra non abbia fatto altro che ripetere la sequenza di Cristo, attingendo dal realismo evangelico. Non per farsi specchio, ma strumento. L'abito di panno ruvido a forma di croce, vestito da Francesco, era simile a quello degli eremiti. La corda al posto della cintura di cuoio doveva «crocifiggere la carne e tutti i suoi vizi». Il segno del sacrificio della croce, l'eucarestia, era conservato in un luogo fra tutti: la Chiesa. A questa la spiritualità francescana deve obbedienza, perché i frati si cibano del corpo e del sangue di Cristo. Estremi gradi dell'obbedienza, di Cristo divenuto carne, quindi materia fragile, sono la crocifissione e morte. Francesco ripercorre la sequenza di Cristo.

«Niente, diceva, si deve anteporre alla salvezza delle anime, e confermava l'affermazione soprattutto con quest'argomento: che l'Unigenito di Dio, per le anime, si era degnato di salire sulla croce.»[2]

Nella *Vita prima* di Tommaso da Celano, scritta tra il 1228 e il 1229, si afferma: «E veramente il venerabile portava impressi nella carne i cinque segni della passione e della Croce come se fosse stato appeso alla croce con lo stesso figlio di Dio».[3] L'obbedienza si fa salvezza proprio attraverso l'Incarnazione. Incarnarsi non vuol dire farsi carne, calarsi nella storia del mondo? La «morte secunda», dell'uomo e del mondo, non farà male. Al secolo Francesco consegna però anche la sua via crucis, la lunga notte delle stimmate che

---

[2] Bonaventura, *Leggenda maggiore* IX, 4.
[3] Tommaso da Celano, *Vita prima*, num. 90.

sono fedeltà e abbandono fiducioso alla volontà del Padre, nella parola del Vangelo, in nome del «folle amore». «Folle» è, in tutta la storia che ripete continuamente i suoi gesti, ancora qualsiasi «amore».

Secondo il racconto di Tommaso da Celano, giunto al termine della sua vita si fece «deporre nudo sulla nuda terra»: spogliato della veste di sacco, la mano sinistra a coprire la ferita sul fianco destro, affinché nessuno la vedesse, come era avvenuto per i segni impressi sul suo corpo da due anni. Fa chiamare Giacoma dei Settesoli e le chiede, prima che sia troppo tardi, di non dimenticare di portare con sé quei biscotti «boni e profumati» che più volte gli aveva preparato a Roma.

Congedandosi dai frati che gli stavano intorno, gli occhi al cielo, li raccomanda agli insegnamenti di Cristo. Sono celebri le parole rivolte a frate Elia: «Ti benedico, o figlio, in tutto e per tutto; e come l'Altissimo, sotto la tua direzione, rese numerosi i miei fratelli e figlioli, così su te e in te li benedico tutti. In cielo e in terra ti benedica Dio, Re di tutte le cose. Ti benedico come posso e più di quanto è in mio potere, e quello che non posso fare io, lo faccia in te Colui che tutto può. Si ricordi Dio del tuo lavoro e della tua opera e ti riservi la tua mercede nel giorno della retribuzione dei giusti. Che tu possa trovare qualunque benedizione desideri e sia esaudita qualsiasi tua giusta domanda».[4]

Una gioia traboccante lo coglie al gesto, rapido e struggente, del suo guardiano che, per divina ispirazione, gli consegna una tonaca, i calzoni e il berretto di sacco con il quale copriva il capo per proteggere le cicatrici e il tracoma agli occhi che aveva contratto in Egitto. Il suo guardiano lo ammonisce: «Te li do in prestito, per santa obbedienza! E perché ti sia chiaro che non puoi vantare su di essi nessun diritto, ti tolgo ogni potere di cederli ad altri».[5] La gioia di Francesco

---

[4] Tommaso da Celano, *Vita prima*, num. 108.
[5] Tommaso da Celano, *Vita seconda*, num. 215.

è legata alla morte del povero, che muore con indosso l'abito di altri. Segue la rievocazione dell'Ultima cena, Francesco spezza il pane e chiede la lettura del Vangelo di Giovanni che rievoca il Giovedì santo. Rivolgendosi ancora ai frati, chiede loro di deporlo di nuovo nudo sulla terra, e di lasciarlo giacere dopo la sua morte «il tempo necessario a percorrere comodamente un miglio».[6] Come luogo di sepoltura indica il Colle dell'Inferno, per essere trattato alla stregua dei malfattori e a imitazione di Cristo, che morì crocifisso tra i due ladroni e venne sepolto fuori da Gerusalemme. Quel colle un giorno si sarebbe chiamato Colle del Paradiso e lì sarebbe stata edificata la basilica di San Francesco. La canonizzazione sarebbe stata una delle più rapide nella storia dei santi, soltanto due anni dopo la morte.

«Colui che veniva dalla luce a più profonda luce» morì nella notte tra il 3 e il 4 ottobre 1226.

> E quando morì, lieve, quasi
> Senza nome, si disperse: il suo seme
> Corse nei ruscelli, cantò negli alberi
> E quieto lo guardò dai fiori.
> Giaceva e cantava. Poi vennero le sorelle
> E piansero il loro caro sposo.
>
> RAINER MARIA RILKE

---

[6] Tommaso da Celano, *Vita seconda*, num. 217.

Conclusione

Il decimo capitolo dei *Fioretti* propone uno degli interrogativi che animerà i secoli, non solo della storia francescana, ma anche l'attualità sociale e la vivacità degli studi su Francesco. È frate Masseo a esserne interprete formulando una domanda che continua a riproporsi con chiara insistenza: «Perché a te, Francesco? Perché a te tutto il mondo viene dirieto e ogni persona pare che desideri di vederti e d'udirti e d'obbedirti? Tu non se' bello uomo del corpo, tu non se' di grande scienzia, tu non se' nobile; onde dunque a te che tutto il mondo ti venga dietro?». L'interrogativo del frate di allora e dell'uomo di oggi sottolinea due punti apparentemente contraddittori: la personalità del ribelle di Assisi, non bello, né colto, né nobile, e la forza attrattiva che esercita al punto da continuare a provocare innumerevoli proposte e risposte all'esperienza cristiana.

Il figlio di Bernardone, a dire il vero, non offre una risposta politica alle tante ingiustizie sociali, al «silenzio» di Dio dinnanzi al problema del male nel mondo. Come afferma Chiara Frugoni, egli non ha progetti di fattivi e concreti cambiamenti, non medita lotte e «ribellioni». La sua risposta è l'autorevolezza della sua vita, l'esemplarità dei suoi gesti. L'adesione totale e impetuosa al progetto evangelico di Cristo. Egli infatti esce dall'abitato cittadino, ma al tempo stesso ne vive concretamente la vita e ne posta l'esempio.

Tra le tante suggestioni colpiscono in Francesco due orizzonti che si profilano, quello della *libertà* per sé e per gli altri e quello affettivo dell'*abbraccio*. Traggo il primo dalle diverse espressioni «E se [...] tu lo vuoi, vieni».[1] Sono molti i testi che rimandano alla libertà della persona: «Quando vedranno che ciò piace a Dio [...] queste e altre verità che piaceranno al Signore, possono dire ad essi e ad altri»,[2] e ancora «ogni qualvolta a loro piacerà, possono annunziare tra ogni categoria di persone con la benedizione di Dio».[3]

Nelle affermazioni di Francesco le espressioni «se vuole», «con la benedizione di Dio», «spiritualmente» esortano a una decisione personale profonda, fondata sul discernimento spirituale, frutto di un autentico e sincero rapporto con Dio. Tali espressioni propongono, a mio avviso, un «discernimento aperto» che si contrappone alla schiavitù mentale, all'omologazione e alla mediocrità che rendono e vogliono l'altro sottomesso.

Libertà non significa non dipendere da nessuno: è una questione di amore; la misura della libertà non scaturisce dalla forza dell'autonomia, ma da un'esistenza che decide di scegliere e di dipendere da ciò che ama e che è chiamata ad amare. Il discernimento aperto non è semplice, perché obbliga ad allargare le braccia alla diversità, senza chiusure dogmatiche, senza verità preconfezionate, senza pregiudizi verso altri modi di esistere apparentemente estranei che interferiscono profondamente nelle dinamiche familiari, amicali, sociali e formative; e che possono in maniera più o meno forte far crescere, trasformare il bambino in adulto.

Si tratta di navigare evitando la Scilla dell'anarchia carismatica e la Cariddi del monolitismo autoritario. Questo fa sì che lo Spirito Santo «energizzi» la capacità decisionale per condurla nel campo del voluto da Dio.

---

[1] San Francesco, *Lettera a frate Leone*, num. 4.
[2] *Regola non bollata*, XVI, num. 7-8.
[3] *Regola non bollata*, XXI, num. 1.

Mentre l'orizzonte dell'abbraccio è sottolineato dalla descrizione della vocazione del terzo compagno, Egidio: «Abbandonò il mondo per abbracciare la sua nuova vita».[4] Quello che fa sperimentare Francesco indica la prontezza ad abbracciare sempre, a donare. Credo che in questo gesto, antico quanto il mondo, ricco di storia e di emozioni vissute, vi sia il segreto di un passaggio: una maturazione che parte dall'io e arriva al noi. L'abbraccio è un gesto che aiuta a maturare e a crescere e fa passare dalla competizione alla condivisione tra persone.

Abbiamo cercato di seguirlo nei suoi pensieri, in quelli di Dio, l'«Altissimo onnipotente bon Signore»; in quelli dell'uomo «umilissimo servo».

Risponde all'amore divino con il povero amore umano cercando di amare il prossimo, chiunque esso sia: il ladrone e il giusto, il ricco e il povero, il grande sultano e la piccola vedova, il papa e il sacerdote, il lebbroso reietto e frate Masseo di bell'aspetto.

In filigrana, questo amore l'ha condotto a superare, sfondare, abbattere con dolcezza le «roccaforti» del Medioevo: trasformando il linguaggio clericale, incomprensibile ai più, in volgare accessibile a tutti; i luoghi solenni delle chiese e cattedrali diventano le piazze e i vicoli dei nascenti Comuni italiani; i gesti altisonanti delle anticamere curiali, lo sfarzo liturgico e la belligeranza delle crociate lasciano posto al fratello, alla semplicità della vita e alla riconciliazione dei cuori. Non è forse lo stile del frate di Assisi che sta vivendo e proponendo papa Francesco? Certo, le responsabilità e le funzioni sono diverse. Il primo è un membro della Chiesa e il secondo è un pastore, ma l'obiettivo è simile: seguire e vivere le orme del Vangelo.

---

[4] *Compilazione di Assisi*, num. 92.

PREGHIERE

Dalla Philautìa alla Philocalìa

Questo percorso vissuto con Francesco ha uno scopo: di accompagnarci per mano dall'amore smodato per noi stessi, la *philautía*, fino all'amore per il bello, la *philocalía*, fine ultimo di ogni nostro gesto, di ogni nostra «ribellione» quotidiana.

Il passaggio dalla *philautía* alla *philocalía* lo ritroviamo descritto non solo da Platone nelle sue *Leggi*, ma precisato in Isacco di Ninive quando dice: «L'uomo che conosce tutti i suoi peccati è più grande di Dio che fa resuscitare i morti».

Tale forte affermazione ci invita a guardare in noi stessi – come ha fatto Francesco – perché l'uomo che riesce a percepire il suo limite, il suo peccato, non solo non diventa più piccolo, ma più grande, capace di bontà, di amore e di misericordia, vedendo nell'altro non un nemico o una nemica ma un fratello; riscoprendo la bellezza in ogni cosa e facendo della propria vita – piccola o grande che sia, nascosta o pubblica – un canto che permetta di dilatare gli spazi del cuore e poter dire «Laudato sie, mi' Signore, cum tucte le tue creature». Questo è possibile solo con la preghiera e, per il laico, consegnandosi una parola bella e avvincente attraverso la profonda conoscenza di se stessi: la rettitudine.

Preghiere di san Francesco

PREGHIERA DAVANTI AL CROCIFISSO

O alto e glorioso Dio,
illumina le tenebre de lo core mio.
E damme fede dritta,
speranza certa e caritade perfetta,
senno e cognoscemento, Signore,
che faccia lo tuo santo e verace comandamento.
Amen.

SALUTO ALLE VIRTÙ

Ave, regina sapienza,
il Signore ti salvi
con tua sorella, la santa e pura semplicità.
Signora santa povertà,
il Signore ti salvi
con tua sorella, la santa umiltà.
Signora santa carità,
il Signore ti salvi
con tua sorella, la santa obbedienza.
Santissime virtù,
voi tutte salvi il Signore
dal quale venite e procedete.

Non c'è assolutamente uomo nel mondo intero,
che possa avere una sola di voi,
se prima non muore.
Chi ne possiede una e le altre non offende
le possiede tutte,
e chi una sola ne offende
non ne possiede nessuna e le offende tutte.
E ciascuna confonde i vizi e i peccati.

La santa sapienza
confonde Satana e tutte le sue insidie.

La pura santa semplicità
confonde ogni sapienza di questo mondo
e la sapienza della carne.
La santa povertà
confonde la cupidigia e avarizia
e le preoccupazioni del secolo presente.
La santa umiltà
confonde la superbia
e tutti gli uomini che sono nel mondo
e similmente tutte le cose che sono nel mondo.
La santa carità
confonde tutte le diaboliche e carnali
tentazioni e tutti i timori della carne.
La santa obbedienza
confonde ogni volontà propria
corporale e carnale
e tiene il corpo di ciascuno
mortificato per l'obbedienza allo spirito
e per l'obbedienza al proprio fratello,
e allora egli è suddito e sottomesso
a tutti gli uomini che sono nel mondo,
e non soltanto ai soli uomini,
ma anche a tutte le bestie e alle fiere,
così che possano fare di lui quello che vogliono
e per quanto sarà loro concesso dall'alto dal Signore.

SALUTO ALLA BEATA VERGINE MARIA

Ave, Signora, santa Regina,
santa genitrice di Dio, Maria
che sei vergine fatta Chiesa.
ed eletta dal santissimo Padre celeste,
che ti ha consacrata
insieme col santissimo suo Figlio diletto
e con lo Spirito Santo Paraclito;
tu in cui fu ed è
ogni pienezza di grazia
ed ogni bene.
Ave, suo palazzo,
ave, suo tabernacolo,
ave, sua casa.

Ave, suo vestimento,
ave, sua ancella,
ave, sua Madre.

E saluto voi tutte, sante virtù,
che per grazia e illuminazione dello Spirito Santo
venite infuse nei cuori dei fedeli,
perché da infedeli
fedeli a Dio li rendiate.

LODI DI DIO ALTISSIMO

Tu sei santo, Signore solo Dio, che compi meraviglie
Tu sei forte, Tu sei grande, Tu sei altissimo
Tu sei onnipotente, Tu Padre santo, re del cielo e della terra.
Tu sei trino ed uno, Signore Dio degli dèi
Tu sei il bene, ogni bene, il sommo bene, Signore Dio vivo
   e vero.

Tu sei amore e carità, Tu sei sapienza,
Tu sei umiltà, Tu sei pazienza,
Tu sei bellezza, Tu sei sicurezza, Tu sei quiete.
Tu sei gaudio e letizia, Tu sei la nostra speranza,
Tu sei giustizia e temperanza,
Tu sei tutto, ricchezza nostra a sufficienza.
Tu sei bellezza, Tu sei mansuetudine.
Tu sei protettore, Tu sei custode e difensore,
Tu sei fortezza, Tu sei rifugio.

Tu sei la nostra speranza, Tu sei la nostra fede,
Tu sei la nostra carità. Tu sei tutta la nostra dolcezza,
Tu sei la nostra vita eterna, grande e ammirabile Signore,
Dio onnipotente, misericordioso Salvatore.

BENEDIZIONE A FRATE LEONE

Ti benedica il Signore e ti custodisca,
Mostri a te il suo volto e abbia misericordia di te.
Rivolga il suo volto verso di te e ti dia pace.

Il Signore benedica te,
frate Leone.

IL CANTICO DI FRATE SOLE

Altissimu, onnipotente, bon Signore,
tue so' le laude, la gloria e l'honore et onne benedizione.
Ad te solo, Altissimo, se konfano,
et nullu homo ène dignu Te mentovare.

Laudato sie, mi' Signore, cum tucte le tue creature,
spezialmente messor lo frate Sole,
lo qual è iorno, et allumini noi per lui.
Et ellu è bellu e radiante cum grande splendore:
de te, Altissimo, porta significatione.

Laudato si', mi' Signore, per sora Luna e le stelle:
in celu l'ài formate clarite et pretiose et belle.

Laudato si', mi' Signore, per frate Vento
et per aere et nubilo et sereno et onne tempo,
per lo quale a le tue creature dài sustentamento.

Laudato si', mi' Signore, per sor'Aqua,
la quale è multo utile et humile et pretiosa et casta.

Laudato si', mi' Signore, per frate Focu,
per lo quale ennallumini la nocte:
et ello è bello et iocundo et robustoso et forte.

Laudato si', mi' Signore, per sora nostra matre Terra,
la quale ne sustenta et governa,
et produce diversi fructi con coloriti flori et herba.

Laudato si', mi' Signore, per quelli ke perdonano per lo tuo
    amore,
et sostengo infirmitate et tribulatione.

Beati quelli ke 'l sosterrano in pace,
ka da te, Altissimo, sirano incoronati.

Laudato si' mi' Signore per sora nostra Morte corporale,
da la quale nullu homo vivente pò skappare:
guai a quelli ke morrano ne le peccata mortali;
beati quelli ke trovarà ne le tue santissime voluntati,
ka la morte secunda no 'l farrà male.

Laudate et benedicete mi' Signore' et rengraziate
et serviateli cum grande humilitate

Preghiere a san Francesco

PREGHIERA A SAN FRANCESCO*
Giovanni Paolo II

Tu, che hai tanto avvicinato
il Cristo alla tua epoca,
aiutaci ad avvicinare
Cristo alla nostra epoca,
ai nostri difficili e critici tempi.
Aiutaci!
Questi tempi attendono Cristo
con grandissima ansia,
[...]
Non saranno tempi che ci prepareranno ad una rinascita
del Cristo,
ad un nuovo Avvento?
Noi, ogni giorno,
nella preghiera eucaristica
esprimiamo la nostra attesa,
rivolta a lui solo,
nostro Redentore e Salvatore,
a lui che è compimento della storia dell'uomo e del mondo.

* Preghiera pronunciata ad Assisi in occasione della visita alla Basilica di San
Francesco, il 5 novembre 1978.

Aiutaci, san Francesco d'Assisi,
ad avvicinare alla Chiesa e al mondo di oggi il Cristo.
Tu, che hai portato nel tuo cuore
le vicissitudini dei tuoi contemporanei,
aiutaci, col cuore vicino al cuore del Redentore,
ad abbracciare le vicende
degli uomini della nostra epoca.
I difficili problemi sociali, economici, politici,
i problemi della cultura e della civiltà contemporanea,
tutte le sofferenze dell'uomo di oggi,
i suoi dubbi, le sue negazioni,
i suoi sbandamenti, le sue tensioni,
i suoi complessi, le sue inquietudini...
Aiutaci a tradurre tutto ciò
in semplice e fruttifero linguaggio del Vangelo.
Aiutaci a risolvere tutto
in chiave evangelica, affinché Cristo stesso possa essere
«Via, Verità, Vita»
per l'uomo del nostro tempo.
[...]

PREGHIERA A SAN FRANCESCO*
Madre Teresa di Calcutta

Rivolgiamo la nostra preghiera a Francesco d'Assisi;
lui che seguì alla lettera gli insegnamenti del Padre.

Ci insegnerà ad amare. Ci insegnerà a capire.
Ci darà coraggio di condividere.
Condividere è l'espressione di un grande amore.

Francesco ci insegnerà a donare sino alla sofferenza,
con letizia estrema!

* Preghiera pronunciata in occasione dell'incontro interreligioso *Spirito di Assisi*, voluto da Giovanni Paolo II ad Assisi nel 1986.

TI PREGO*

Papa Francesco

Ti prego dunque, o Signore Gesù Cristo, padre delle misericordie, di non voler guardare alla nostra ingratitudine, ma di ricordarti sempre della sovrabbondante pietà che in [questa città] hai mostrato, affinché sia sempre il luogo e la dimora di quelli che veramente ti conoscono e glorificano il tuo nome benedetto e gloriosissimo nei secoli dei secoli. Amen.

* Preghiera pronunciata in occasione della visita pastorale ad Assisi, il 4 ottobre 2013.

O FRANCESCO*

Papa Francesco

O Francesco d'Assisi,
intercedi per la pace nei nostri cuori.

* Preghiera inviata sulla Tomba del Santo in occasione dell'inaugurazione della webcam, attraverso il sito www.sanfrancesco.org, il 1° maggio 2013.

PREGHIERA A SAN FRANCESCO
Cardinal Ersilio Tonini

Povertate è nulla avere / e nulla cosa poi volere; / ad omne cosa possedere / en spirito de libertate.

Ho iniziato la mia preghiera dinnanzi a te, o Francesco, con le parole di un tuo contemporaneo, Jacopone da Todi. Questa invocazione alla libertà è il massimo dei doni, perché nella libertà vi è lo stupore di trovarsi capaci di esprimere, ricevere e restituire.

Francesco tu per me sei stato la creatura in cui Cristo Signore ha esaltato la libertà di Dio. O caro Francesco, nel pensare a te, mi viene in mente mia madre, contadina con la terza elementare, che mi diceva: «Quello che il Signore vorrà da te, lo vorremo anche noi».
Ho capito che per mia madre, caro Francesco, non ero importante perché riuscivo meglio dei miei fratelli o dei miei compagni di scuola, ma per un'altra cosa: perché Dio esprimeva in me la gioia dei doni che aveva posto nella mia esistenza.

O caro Francesco, sono dinnanzi a te con le mie mani rugose che vogliono rappresentare le mani di tutta l'umanità. Mi vengono in mente le mani dei miei genitori perché quelle mani hanno manifestato non solo la capacità di lavorare e trasformare, ma sono state capaci soprattutto di accarezzare, di incoraggiare, di aprire spazi per il mondo intero. Penso a quello che hanno fatto i grandi artisti con le loro mani, penso a Giotto e alle meraviglie che quelle mani hanno fatto risplendere. Aiutaci a far sì che le nostre mani possano far risplendere la nostra umanità nella umanità di Colui che tu hai seguito senza sconti, che possano aiutarci a far risplendere ogni creatura come hai fatto tu.

O caro Francesco, nel pensare a te, mi viene in mente un altro grande uomo innamorato di Dio come te, sant'Agostino, il quale diceva che i monti sono quelle creature per mezzo delle quali siamo avvertiti che il sole è capace di fare bella la nostra esistenza. I santi sono le montagne e attraverso di essi Dio, che è il sole, si manifesta e riesce ad esaltare la realtà infinita dei colori del mondo. Aiutaci dunque a guardare in alto per far sì che il nostro sguardo accenda luci di gioia, di fraternità, di pace nel guardare il mondo.

CANTO DI UNA CREATURA

Alda Merini

Sono pieno di nemici, Signore,
ma anche di amici:
gli uccelli che libero dalle mie mani
sono le mie parole d'amore,
e ti ringrazio
per le infinite lavande di lacrime
con le quali pulisco il mio corpo
giorno per giorno.
Oh, il pianto:
sublime dono di Dio,
regalo di luce.
Le tenebre hanno paura
del pianto degli uomini:
i cattivi non sanno piangere,
ma io quando mi chino sopra un lebbroso
con le mie lacrime
lo mondo delle sue impurità:
di questo sono assolutamente certo.

Narrazione biografica e datazione degli scritti

1181-82   24 giugno (?): nasce ad Assisi Giovanni di Pietro di Bernardone; il padre, ricco mercante, assente al battesimo – dove riceve il nome di Giovanni –, vuole che sia chiamato Francesco. Impara a leggere e scrivere presso la chiesa di San Giorgio.

1193-94   Nasce ad Assisi Chiara, di famiglia aristocratica, figlia di Favarone d'Offreduccio e di Ortolana.

1198-1200   Dopo la morte dell'imperatore Enrico VI (settembre 1197) i popolani delle arti (*homines populi*) distruggono la rocca imperiale di Assisi e assaltano le case fortificate dei nobili (*boni homines*), molti dei quali si rifugiano a Perugia.

1202-03   Nella guerra tra Perugia e Assisi, le milizie assisane sono sconfitte a Collestrada: prigionia di Francesco, liberato dopo un anno, in cattive condizioni di salute.

1204-06   Comincia la conversione di Francesco: visione misteriosa a Spoleto, incontro con i lebbrosi, preghiera insistente a San Damiano. Preghiera davanti al Crocifisso.

1206-08   Contrasto con il padre e rinuncia all'eredità paterna dinnanzi al vescovo di Assisi. In abito da eremita, ripara San Damiano, San Pietro e Santa Maria della Porziuncola. Compone e recita la preghiera *Ti adoriamo.*

1208   Aprile: assieme ai primi compagni, Bernardo di Quintavalle e Pietro Cattani, nella chiesa di San Niccolò consulta il Vangelo, che diventa la loro *norma* di vita. Indossando l'abito dei penitenti iniziano le prime peregrinazioni apostoliche.

1209   In primavera, quando il numero è cresciuto a dodici, Francesco
e compagni si recano a Roma, dove Innocenzo III approva a voce
la *regola di vita* «secondo la forma del santo Vangelo» che Francesco «fece scrivere con poche parole e semplicità». Il papa «autoriz-
zò lui e i suoi compagni a predicare dovunque la penitenza».Questa
«protoregola» è stata inglobata e poi amplificata progressivamente
dentro il testo della *Regola non bollata* (1210-21). Da Rivotorto la fraternità passa a Santa Maria della Porziuncola, la chiesa ottenuta in
custodia dai benedettini del Subasio.

1212 c.   Chiara viene accolta da Francesco alla vita penitente, e quindi *all'obbedienza*, con un impegno scritto da parte di Francesco: la
forma di vita, riportata da Chiara.

1212-15   Francesco tenta invano di raggiungere la Siria (1211?), poi
il Marocco attraverso la Spagna (fra 1213 e 1215). *Esortazione alla
lode di Dio*: per acerbità di struttura e di forma, potrebbe appartenere ai primi anni del «peregrinare» di Francesco.

1215   Novembre: si celebra il Concilio Lateranense IV, importante
per la riforma della Chiesa e le misure antiereticali. I «frati Minori» non sono vincolati alle disposizioni della *Ne nimia religionum
diversitas* (in base alla quale, per esempio, i frati predicatori devono assumere la *Regola agostiniana*).

1216   16 luglio: muore Innocenzo III. Gli succede Onorio III.
Ai fatti è presente Jacques da Vitry-sur-Seine, consacrato vescovo di Acri (Tolemaide), che in una lettera dell'ottobre 1216
fornisce la prima preziosa testimonianza esterna sulla vita e
la stima ecclesiale goduta dai cosiddetti *frati Minori* e dalle *sorelle Minori*.

1217   26 maggio: il Capitolo generale decide la prima missione d'oltralpe e d'oltremare, che incontra gravi difficoltà.

1218-19   Formazione dell'*Ordo pauperum dominarum de Valle Spole-
ti sive Tuscia* per impulso del cardinale Ugolino.

1219   26 maggio: al Capitolo di Pentecoste, mentre dal 1217 è
in atto la quinta crociata, viene decisa una seconda missione
dei *fratres* in Germania, Francia, Ungheria, Spagna e Marocco.
In questa data potrebbe collocarsi lo scontro tra Francesco e
una parte dei *fratres* sull'adozione di una delle regole appro-
vate (Capitolo «delle stuoie» secondo la *Legenda Perusina*).
In giugno Francesco si imbarca per l'Egitto.

11 giugno: con la *Cum dilecti* Onorio III promulga il primo documento ufficiale sulla *religio* dei frati Minori, attestando, di fronte alle difficoltà incontrate nelle missioni, la piena approvazione papale nei loro confronti.

22 novembre: lettera *Sane cum olim* di Onorio III per la promozione del culto eucaristico.

1220   16 gennaio: cinque frati Minori in Marocco patiscono il martirio. Nel febbraio-marzo Jacques de Vitry, in una lettera da Damietta, senza nominarlo menziona la predicazione di Francesco, con un compagno, di fronte al sultano. Il cardinale Ugolino trascorre la Pasqua a San Damiano.

29 maggio: lettera *Pro dilectis filiis* di Onorio III ai prelati di Francia, volta ad attestare l'ortodossia dei frati Minori.

Francesco in Oriente viene raggiunto dalle notizie riguardanti la situazione dell'Ordine (Capitolo «de gli anziani»: 17 maggio) e torna in Italia nel corso dell'estate.

22 settembre: la bolla *Cum secundum consilium* di Onorio III obbliga i *fratres* all'anno di noviziato, come tutti gli ordini religiosi. Francesco al Capitolo annuale (29 settembre) fa designare al suo posto Pietro Cattani.

1221   10 marzo: muore Pietro Cattani. Gli subentra frate Elia.

Nel Capitolo del 30 maggio («delle stuoie» secondo Giordano da Giano) si decidono nuove spedizioni oltralpe e si discute la presentazione di una regola gradualmente elaborata nei precedenti Capitoli (che sarà detta «non bullata»).

1222   31 marzo: lettera *Devotionis vestre* di Onorio III, sulle abitazioni e sulle chiese dei frati Minori.

15 agosto: Francesco predica a Bologna sulla piazza antistante il palazzo comunale.

1223   11 giugno (e forse anche 29 settembre): riunione annuale del Capitolo minoritico.

24 novembre: frati Minori sono nominati visitatori del monastero femminile di Colpersito, nelle Marche.

29 novembre: con la *Solet annuere* papa Onorio III approva la regola dei frati Minori (in ossequio alle sue disposizioni Francesco si procura un breviario).

18 dicembre: lettera *Fratrum Minorum* di Onorio III a tutti i vescovi sul comportamento da tenere con i frati censurati dai superiori.

24-25 dicembre: celebrazione del Natale a Greccio.

1224   Dopo il Capitolo del 2 giugno, che decide l'invio dei primi frati Minori in Inghilterra, e prima del Capitolo del 29 settembre, Francesco si ritira per una quaresima in onore di san Michele sulla Verna, dove avviene la stimmatizzazione nel mese di settembre. Lì scrive le *Laudes Dei Altissimi* e la *Benedizione a frate Leone*.

3 dicembre: lettera *Quia populares tumultus* di Onorio III, sulla celebrazione del culto nelle chiese dei frati Minori.

1224-25   Nell'autunno-inverno soggiorna presso il monastero di San Damiano in Assisi e vi compone il *Cantico di frate Sole*.

1225   7 ottobre: lettera *Vineae Domini custodes* di Onorio III, sui poteri dei frati Predicatori e dei frati Minori missionari in Marocco.

1226   Agli inizi dell'anno fra Pacifico è nominato visitatore delle monache.

20 febbraio: lettera *Urgente officii* di Onorio III ai frati Predicatori e Minori missionari in Marocco e in Siria.

17 marzo: lettera *Ex parte vestra* di Onorio III che dispensa i frati Missionari da alcuni precetti della *regula* minoritica.

A Siena nell'aprile-maggio Francesco ha un aggravamento delle condizioni di salute (e avrebbe dettato un «piccolo testamento»).

Francesco invia alle Damianite la sua *Ultima voluntas*.

Nelle ultime settimane di vita viene dettato il *Testamentum*.

3 ottobre: nella notte di sabato Francesco muore alla Porziuncola.

4 ottobre: la salma viene trasportata dalla Porziuncola alla chiesa cittadina di San Giorgio. Lungo il percorso sosta presso il monastero di San Damiano.

1227   18 marzo: muore Onorio III.

19 marzo: il cardinale Ugolino dei Conti di Segni diventa papa Gregorio IX.

1228   29 aprile: con la lettera *Recolentes qualiter* papa Gregorio IX promuove la raccolta fondi per la costruzione della basilica assisana.

16 luglio: Gregorio IX celebra solennemente ad Assisi la canonizzazione di san Francesco.

19 luglio: con la lettera *Mira circa nos* viene resa pubblica la solennità in onore di san Francesco, fissata nel suo *dies natalis*, il giorno 4 ottobre.

Bibliografia

Per quanto attiene alle fonti, nel citare gli scritti di Francesco e le fonti agiografiche faccio riferimento a: *Fonti francescane. Nuova edizione*, a cura di E. Caroli, Padova, Editrice Francescane, 2011.

Per quanto attiene alla Narrazione biografica e datazione degli scritti, ho fatto particolare riferimento a Paolazzi, Carlo (a cura di), *Francesco d'Assisi, Scritti*, Grottaferrata (Rm), Frati Editori di Quaracchi, 2009.

Accrocca, Felice, *Francesco e i suoi frati. Dalle origini ai Cappuccini*, Roma, Istituto Storico dei Cappuccini, 2017.

–, *Francesco. Fratello e maestro*, Padova, Messaggero, 2012.

Agamben, Giorgio, *Altissima povertà. Regole monastiche e forme di vita*, Torino, Bollati Boringhieri, 2008.

Bo, Carlo, *Se tornasse san Francesco*, Roma, Castelvecchi, 2013.

Cacciari, Massimo, *Doppio ritratto. San Francesco in Dante e in Giotto*, Milano, Adelphi, 2012.

Campana, Dino, *Canti orfici*, Roma, Garzanti, 2007.

Camus, Albert, *L'uomo in rivolta*, trad. it. Liliana Magrini, Milano, Bompiani, 1957.

Cardini, Franco, *Francesco d'Assisi*, Milano, Mondadori, 2017.

De Luca, Erri, *Ho saputo di Lui*, in E. Fortunato (a cura di), *La maturità evangelica di Francesco*, Padova, Messaggero, 2009.

Dickinson, Emily, testo 1775, in *Tutte le poesie*, trad it. a cura di Marisa Bulgheroni, Milano, Mondadori, 1997.

Emerson, Ralph Waldo, *Realizzare la vita. Saggi da Society and Solitude*, a cura di Beniamino Soressi, Padova, Il Prato, 2007.

Fortunato, Enzo, *Discernere con Francesco d'Assisi. Le scelte spiri-tuali e vocazionali*, Padova, Messaggero, 1997.

–, *Il Discernimento. Itinerari esistenziali per giovani e formatori*, Bologna, Edizioni Dehoniane, 2000.

Franceschini, Ezio, *Nel segno di Francesco*, Assisi, Porziuncola, 1988.

Frost, Robert, *La strada non presa*, in *Conoscenza della notte*, trad. it di Giovanni Giudici, Milano, Mondadori, 1988, p. 129.

Frugoni, Chiara, *Francesco. Un'altra storia*, Milano, Feltrinelli, 1998.

–, *Vita d'un uomo: Francesco d'Assisi*, Torino, Einaudi, 1999.

–, *Storia di Chiara e Francesco*, Torino, Einaudi, 2011.

Heidegger, Martin, *Die Armut*, in «Heidegger Studies», 10, 1994; trad. it. *La Povertà*, in «Micromega», 3, 2006, a cura di Marco Dolcetta, trad. di Adriano Ardovino.

Hesse, Hermann, *Francesco d'Assisi*, trad. it. di B. Griffini, Milano, Mondadori, 2013.

Le Goff, Jacques, *San Francesco d'Assisi*, trad. it. di L. Baruffi e A. De Vincentiis, Roma-Bari, Laterza, 2006.

Mauriac, François, *Vita di Gesù*, Milano, Mondadori, 1937.

Messiaen, Olivier, *Saint François d'Assise (scènes franciscaines)*, traduzione dell'Autore.

Merini, Alda, *Francesco. Canto di una Creatura*, Milano, Frassinelli, 2007; Sperling & Kupfer Editori, 2015.

Merlo, Grado Giovanni, *Nel nome di san Francesco. Storia dei frati Minori e del francescanesimo sino agli inizi del XVI secolo*, Padova, Editrici Francescane, 2012.

–, *Frate Francesco*, Bologna, il Mulino, 2013.

Miccoli, Giovanni, *Francesco d'Assisi. Realtà e memoria di un'esperienza cristiana*, Torino, Einaudi, 1991.

–, *Francesco*, Roma, Donzelli, 2013.

Nove, Aldo, *Tutta la luce del mondo*, Milano, Bompiani, 2014.

Paolazzi, Carlo (a cura di), *Francesco d'Assisi, Scritti*, Grottaferrata (Rm), Frati Editori di Quaracchi, 2009.

Pellegrini, Luigi, *I luoghi di frate Francesco. Memoria agiografica e realtà storica*, Roma, Biblioteca francescana, 2010.

Rilke, Rainer Maria, *Libro d'ore*, trad. it. Cesare Lievi, Milano, Servitium, 2012.

Sabatier, Paul, *Vita di San Francesco*, trad. it. G. Zanichelli, Milano, Mondadori, 1978.

Tonini, Ersilio, *Preghiera* in Enzo Fortunato (a cura di), *70 anni*.

San Francesco Patrono d'Italia, Collana allegata alla rivista «San Francesco», Assisi, 2009.

Vandenbroucke, François, *Storia della spiritualità*, vol. V, *Il Medioevo (XII-XVI secolo)*, edizione italiana ampliata e aggiornata a cura di Réginald Grégoire e Giovanna della Croce, Milano, EDB, 2013.

Ringraziamenti

Desidero ringraziare il Custode del sacro convento Padre Mauro Gambetti e la fraternità francescana conventuale che serve, con amore e dedizione, l'uomo che approda ad Assisi. Ringrazio Mons. Felice Accrocca, Mons. Giuseppe Piemontese, Grado Giovanni Merlo, Franco Cardini e Mico Capasso che hanno avuto la pazienza di leggere le bozze e donarmi preziose osservazioni. Inoltre l'amico Philippe Daverio per il ritratto artistico-medievale su Francesco. Infine, la preziosa collaborazione dei giovani della redazione San Francesco, Francesca Romeo per la supervisione editoriale e quanti mi hanno motivato nella stesura di questo piccolo testo che consegno alle stampe, e al cuore di coloro che vogliono conoscere Francesco uomo, frate e santo.